Laços de amor eterno

JAMES VAN PRAAGH

Laços de amor eterno

SEXTANTE

tradução: Sônia Schwarts
preparo de originais: Regina da Veiga Pereira
revisão: Ana Lúcia Machado, Hermínia Totti e José Tedin
diagramação: Ana Paula Daudt Brandão
capa: Raul Fernandes
imagem de capa: altrendo nature/Getty Images
impressão e acabamento: Bartira Gráfica e Editora S/A

CIP-BRASIL. CATALOGAÇÃO-NA-FONTE
SINDICATO NACIONAL DOS EDITORES DE LIVROS, RJ

V297L

Van Praagh, James
Laços de amor eterno / James Van Praagh [tradução de Sônia Schwarts]; Rio de Janeiro: Sextante, 2012.
208p.; 14x21 cm

Tradução de: Growing up in heaven
Inclui bibliografia
ISBN 978-85-7542-768-2

1. Espiritismo. I. Título.

12-0931 CDD: 133.9
CDU: 133.9

GMT Editores Ltda.
Rua Voluntários da Pátria, 45 – Gr. 1.404 – Botafogo
22270-000 – Rio de Janeiro – RJ
Tel.: (21) 2538-4100 – Fax: (21) 2286-9244
E-mail: atendimento@esextante.com.br
www.sextante.com.br

Para a minha irmã Maura Fortune.
Obrigado pelo amor que você continua
a demonstrar todos os dias.
Você tornou a minha infância melhor;
você tornou a minha vida melhor.

Sumário

Introdução

Eu me comunico com os mortos. É isso que eu faço e me sinto abençoado por ter esse dom. Por causa da natureza da comunicação, eu regularmente entro em contato com aqueles que já morreram e foram para o céu. Ou seja, eu falo com os mortos com bastante frequência. Embora algumas pessoas considerem o meu trabalho deprimente ou melancólico, isso está longe de ser verdade. Por mais estranho que possa parecer, a morte faz parte da vida. Ou seja, a morte nada mais é do que uma etapa da jornada espiritual da alma.

A minha habilidade e o trabalho que escolhi realizar neste plano terrestre vêm com uma grande responsabilidade. É muito importante que eu compartilhe meu conhecimento e minha experiência para que aqueles que perderam entes queridos possam encontrar conforto e paz em sua jornada de alma. Estamos todos caminhando juntos. Este livro foi escrito com o intuito de amenizar o sofrimento e trazer esclarecimentos sobre um mundo que poucos conhecem ou compreendem.

A maioria de nós saúda a beleza do sol nascente como a certeza de um novo dia. Porém, após uma noite insone, alguns se levantam de manhã para mais um dia de escuridão – para um vazio que eles acham que nunca mais conseguirão preencher. A promessa da expectativa foi substituída pela dolorosa compreensão da perda de recordações futuras. Esta é a dor da perda de um filho. Uma perda é sempre algo traumático, mas a dor da perda de um filho é verdadeiramente devastadora. Ela talvez seja a pior perda que nós, seres humanos, podemos vivenciar na Terra. O relacionamento simbiótico entre uma criança e seus pais é algo diferente de tudo. Talvez nenhuma explicação ou compreensão sobre tal acontecimento possa ser obtida neste plano físico. Podemos até tentar aprender a conviver com essa dor, mas a perda de um filho irá alterar nossa vida para sempre.

Para alguns, a sensação é a de que nunca mais conseguirão ir em frente, que a vida deles, de fato, acabou. Outros podem tentar levar a vida, mas eles meramente se arrastam, se agarram à esperança de que reencontrarão seus filhos um dia. Talvez essa seja a única coisa à qual possam se agarrar para atravessar esses dias tão tristes. Essas pessoas podem passar horas imaginando a aparência e o tipo de personalidade que seus filhos teriam e as atividades que apreciariam.

Se você sofreu a perda de um bebê, de um filho ou uma filha, de um membro da família ou de um amigo, este livro é o meu presente para você. As descrições das sessões e as cartas nele contidas poderão ajudá-lo a compreender que você nunca está sozinho na sua dor. Seu filho, sua filha ou alguém muito especial está sempre por perto, tentando amenizar sua dor. Você verá também que é possível sobreviver a essa perda e ir em frente com um estado mental mais atento do que antes – mesmo que você ache tudo isso impossível neste momento.

Se você alguma vez tentou imaginar como seria o céu, este livro é para você. Muitos talvez tenham ideias ou teorias preconcebidas sobre o céu e o imaginam como um lugar onde anjos tocam harpa enquanto flutuam nas nuvens e seres vestidos de túnica passeiam e cantam em coro. Embora eu esteja absolutamente convicto de que existem lugares onde essas coisas de fato acontecem, o céu a que me refiro é um lugar muito diferente e o mostrarei a você. Por isso, prepare-se para entrar em uma nova dimensão. Eu o levarei a um mundo ainda mais extraordinário do que você possa imaginar – uma dimensão que abrange visões de grande criatividade e reinos de beleza e arte inconcebíveis no nosso limitado plano físico. Um mundo do qual a sua alma talvez consiga se lembrar e que você, inevitavelmente, verá outra vez.

Enquanto estiver lendo este livro, mantenha-se atento à sabedoria dos espíritos e acompanhe a jornada. Para extrair o máximo das palavras contidas nestas páginas, visualize-as com a compreensão de que somos, antes de tudo, um *espírito* ou uma *alma* encapsulada em um corpo físico. A nossa alma contém toda a essência de quem somos. O espírito é o corpo etéreo e hábil criado pela alma para que ela possa vivenciar as sensações e as dimensões de várias realidades.

Como uma alma, você pode vivenciar uma experiência humana em uma dimensão física, mas precisa compreender também que este mundo físico é medido pelas limitações do tempo. As dimensões espirituais, no entanto, não são demarcadas por relógios, calendários ou aniversários. Para que possa vivenciá-las, você terá que abandonar as noções "terrestres" de tempo e se abrir para o modo de vida do mundo espiritual.

Nestas páginas, espero fornecer respostas para aquelas perguntas que você guarda no fundo do coração sobre para onde vão os espíritos das crianças ao deixarem a Terra e como é a vida delas lá. Espero mostrar a você a visão de uma alma sobre o propósito da vida na Terra. Nesse processo, nos aprofundaremos na teoria da reencarnação, nos encontraremos com prestativos guias do mundo espiritual e, por fim, veremos explicações para as muitas dúvidas que temos sobre o céu.

Venha comigo. Abra a cortina de sua mente e entre em um mundo além deste mundo. A promessa de um novo dia pode significar o nascimento de um novo começo. Qualquer coisa, e tudo o que você possa imaginar, é possível. Os dias podem ser alegres, dramáticos e divertidos – repletos de oportunidades. Experiências novas e pessoas desconhecidas, viagens a destinos muito distantes e nem tão distantes e perspectivas novas o aguardam. Tudo aquilo que o restringe são as limitações da sua própria mente. Juntos, veremos como é crescer no céu.

PRIMEIRA PARTE

A travessia

um

Quando uma criança transita

Quando um dos seus pais morre, você perde o seu passado;
quando um dos seus filhos morre, você perde o seu futuro.
– Anônimo

A morte produz inúmeras formas de desordem emocional e de despertar espiritual. O mais importante, no entanto, é compreender que, apesar do forte sentimento de solidão, nunca estamos verdadeiramente sozinhos. Nossos entes queridos estão sempre por perto para nos ajudar a atravessar os momentos mais dolorosos, nos guiar para fora da escuridão e nos conduzir para a luz da nossa própria força.

Recentemente, fui ao velório da mãe de um amigo. Enquanto esperava o início da cerimônia, ouvia a música abafada e as palavras tristes de um discurso que vinha de uma das salas. De repente, vi o espírito de uma menina de uns sete anos, com um vestido azul-claro, meias brancas e sapatos de verniz preto, correndo pelo hall. Ao passar por mim, ela me olhou e eu a cumprimentei mentalmente.

Ela parou, voltou-se e me olhou nos olhos, dizendo: *Olá, senhor. Por que é que a minha família está chorando?*

"Você não morreu?", repliquei telepaticamente.

A menina respondeu: *Não sei. Adormeci e acordei aqui. A senhora de vestido rosa e sorriso bonito está me esperando para me levar para casa. Há um pônei para mim lá. Estou louca para ir.*

"Então por que você está aqui?"

Ela parecia confusa: *Estou tentando dizer para a mamãe e o papai que ainda estou viva, mas eles não me veem.*

"Qual é o seu nome?"

Finalmente a menina se identificou: *Kylie. Não é um nome bonito?* Virou-se de repente: *Ih, preciso ir agora! A senhora luminosa está me esperando.*

E com isso ela passou correndo por mim e foi em direção a um espírito reluzente que estava do outro lado. O espírito acolheu-a, segurou sua mão e levou-a. Juntas, elas entraram na luz do seu lar celestial.

Mais tarde, enquanto me dirigia para o estacionamento, notei um retrato sobre um cavalete que estava do lado de fora de uma pequena capela. Era o retrato de Kylie, sentada sobre um monte de feno em frente a um cavalo e um pônei. Sorri, olhei para cima e pensei: espero que você esteja curtindo o seu pônei novo, Kylie.

Eu logo descobriria o que Kylie estava fazendo do outro lado.

Há anos venho orientando milhares de pais que perderam seus filhos. A perda de um filho é, talvez, a coisa mais difícil de ser compreendida. Os pais se recusam a aceitar e a acreditar: "Não é natural que um filho morra antes dos pais. Isso não faz sentido!" O ciclo natural da vida é que o filho cresça, se desenvolva, tenha seus próprios filhos e morra depois dos pais. Por isso, quando um filho morre, os pais são dolorosamente obrigados a repensar tudo aquilo que consideravam "normal", porque suas vidas foram afetadas de modo irreparável pela imensa perda que destruiu os sonhos e a esperança.

No entanto a perda faz parte da vida e ninguém consegue evitá-la. Inevitavelmente, temos todos que enfrentar algum tipo de perda enquanto estamos vivendo neste planeta. Ela é parte daquilo que nos torna humanos e pode causar muitas emoções intensas: da tristeza à raiva, e até ao ódio. Essas emoções podem nos destruir, mas também são capazes de contribuir para nosso crescimento e nossa evolução. A perda de um filho nos abala mais profundamente porque afeta toda a nossa vida. Em geral, os pais sentem que o filho foi arrancado de seus braços, como se um ladrão tivesse roubado tudo o que possuíam. A dor pode ser intensa demais para ser suportada. Esses pais se sentem jogados em um grande vácuo e não sabem o que fazer para sobreviver. No entanto, eles precisarão continuar a viver da maneira mais completa possível. Como devem lidar com os sentimentos de culpa, raiva, impotência, dor dilacerante e seguir em frente ao mesmo tempo? Será que conseguirão se recuperar?

Eu realmente acredito que qualquer experiência, por mais horrível que seja, acontece por um motivo e de acordo com o plano de uma alma. O plano de uma alma é um projeto elaborado unicamente para a sua evolução espiritual. A alma escolhe certos caminhos para crescer no amor, na compaixão, bondade, calma, paciência, cura e harmonia. Esses caminhos requerem tenacidade e persistência em situações difíceis – sobretudo a morte de um filho. Cada desafio é planejado para que a alma se desenvolva e vá superando os limites da condição física. No entanto, como todas as almas têm livre-arbítrio, cada uma pode escolher quando e como irá evoluir espiritualmente e superar as imperfeições humanas. Ela faz isso através de repetidas experiências de vida neste planeta e em outras partes do Universo. O principal objetivo do plano de uma alma é a compreensão de que somos todos *amor* criados pelo *Amor. Este é o aprendizado da alma.*

Como nosso corpo e nossas emoções limitam a nossa capacidade de compreender aquilo que está além do mundo sensorial, podemos não conseguir compreender o significado por trás de uma morte ou de uma perda. No entanto, não devemos nunca perder a esperança de que mais tarde conseguiremos entender por que tal situação precisava ocorrer e quais os benefícios que ela pode gerar.

O que escolher

As pessoas se comportam de maneiras diferentes quando perdem um filho. Os motivos variam: Quais foram as circunstâncias da morte? Os membros da família são unidos e solidários, ou indiferentes? Os pais são espiritualmente evoluídos, ou espiritualmente deficientes? Cada um sofre de maneira diferente e as formas de lidar com o distúrbio emocional são diversas. Por ter, durante todos esses anos, observado o comportamento de muitos pais, passei a distinguir dois tipos de pessoas: aquelas que usam a morte de um filho como uma oportunidade para crescer e aquelas que permanecem totalmente devastadas.

Lembro-me da primeira vez que estive com Marie Levine. Foi em seu minúsculo apartamento em Nova York, repleto de livros e fotografias. Comecei relatando uma série de fatos relacionados a seu filho Peter, que somente ela poderia saber. Enquanto os ouvia, ela repetia sem cessar: "Não posso continuar vivendo. Minha vida não tem mais sentido." Embora naquele momento Marie se encontrasse num lugar sombrio, senti que ela poderia contribuir mais se conseguisse abrir seu coração e sua mente para o amor do filho morto. Mantive contato com ela durante muitos anos, até que uma Marie diferente emergiu. Ela conseguiu transformar sua raiva e frustração em algo positivo. A perda de seu filho único a obrigou a voltar-se para dentro de si e assim encontrar a cura. Marie transformou sua dor em textos que se tornaram uma maravilhosa fonte de inspiração para outras pessoas que passaram por situações semelhantes. Ela escreveu um livro chamado *First*

You Die (Primeiro você morre) em que relata sua perda devastadora e sua esperança de sobreviver. Suas palavras agora ajudam muitos pais a enfrentar com coragem a solidão e o desespero. O livro se tornou um best-seller e é usado por muitos grupos que fornecem apoio a pessoas desesperadas. Assim como Marie, outros pais avançaram também. Alguns estudaram metafísica e espiritualidade, o que resultou em outros livros excelentes. Centros de cura, círculos de meditação, grupos de apoio para pessoas destroçadas pelo sofrimento também foram criados a partir da experiência de Marie.

Também pude ver o oposto. Conheci pais tão atormentados pela perda de um filho que não se sentiam mais dignos de viver e não conseguiam ir em frente. Hilary me procurou após seu filho ter-se jogado do telhado de um prédio em Nova York. Ela se sentia completamente desamparada, sem conseguir aceitar o que tinha acontecido. Permaneceu sentada e imóvel durante dias e semanas, pensando obsessivamente no filho e no que poderia ter feito para evitar o suicídio. Ela se culpou. Culpou Deus. Culpou o mundo. O sofrimento de Hilary era tão esmagador que a única maneira que ela via de escapar da dor seria juntar-se ao filho. Tomou uma superdose de sedativos e deixou um bilhete em que dizia: "A vida perdeu sua mágica."

A história de Hilary é trágica. Mas não importa quão deprimente e angustiante seja a situação. *A vida não precisa ser assim.*

Conheço muitos casais que se divorciaram, tornaram-se dependentes de drogas e desenvolveram doenças mentais por causa de seus opressivos sentimentos de inutilidade e pesar. Eles simplesmente se despedaçaram, sem conseguir recuperar-se do sofrimento. As seguintes mensagens do mundo espiritual revelam a profundidade do desespero e as muitas maneiras pelas quais podemos lidar com o sofrimento e melhorar. A dor e o sofrimento são tão reais quanto o caminho para a cura. Eu acho que a melhor maneira de ajudar alguém a descobrir a esperança, a aprender a viver e amar novamente é compartilhar essas histórias.

O pai alcoólatra

Há dois anos, em uma das minhas demonstrações na costa oeste dos Estados Unidos, chamou-me a atenção um homem que estava sentado do lado esquerdo do auditório. Percebi que havia algo de errado com ele e, ao me aproximar, constatei que estava bêbado. Tentando desanuviar o ambiente, eu disse:

– Você andou bebendo? – O homem se mostrou um pouco surpreso com a minha franqueza, mas continuei, brincando: – E por que não me ofereceu uma dose?

A plateia riu e a tensão se dissipou. Naquele momento, notei uma figura atrás do homem e lhe disse:

– Há um rapaz perto de você. Sabe quem é? – Mais uma vez, o homem ficou surpreso. E prossegui: – Ele está me dizendo que a cabeça dele não dói mais. Ele quer que você saiba que não está sentindo dor. – O homem permaneceu em silêncio, mas pude ver uma lágrima descendo por seu rosto. – É o seu filho, não é? É o Michael.

O homem finalmente falou:

– Michael... nós o chamávamos de Mike.

De repente, Mike me enviou a imagem do que tinha acontecido. Eu o vi voando, caindo cada vez mais rápido.

– O Mike está me mostrando um avião pequeno – falei.

O homem, que se chamava Jack, disse de repente:

– Ele morreu saltando de paraquedas. – Uma mulher sentada ao seu lado segurou sua mão. Jack continuou: – Mike amava a sensação de liberdade. Ele estava com amigos, eles faziam parte de uma equipe de paraquedistas. O paraquedas não abriu, e ele... – Jack não conseguiu prosseguir.

Eu me aproximei mais e disse:

– Ele diz que está bem agora.

– Obrigado – balbuciou Jack.

Então fui passando as informações que recebia de Mike:

– Seu filho está dizendo que esteve com você na garagem um dia desses. Ele quer que saiba que ele se lembra dos bons momentos que vocês passaram juntos trabalhando no carro. – Jack balançou a cabeça para dizer que compreendia. Continuei: – Seu filho está dizendo que, através de você, ele vem trabalhando para ajudar pessoas que têm problemas com bebida. – Ao ouvir isso, o pai ficou desconcertado. – Ele quer que saiba que ele está lhe ajudando também. *Você precisa parar de beber, papai,* Mike está dizendo. *Seu vício traz sofrimento a todos os que o cercam.*

Houve uma pausa e eu acrescentei:

– Seu filho agradece a você pela tatuagem. Ele gostou muito dela. Você compreende o que isso significa? – O homem levantou a camiseta e no seu peito estavam tatuadas as palavras: Meu amado filho Michael.

Alguns meses depois, Jack foi a outra das minhas demonstrações.

– Você se lembra de mim? – perguntou.

– Claro que sim – respondi. – O seu filho era paraquedista.

Jack voltou-se para as pessoas ao seu lado:

– Quero que você conheça outros membros da minha família. – Todos vieram me cumprimentar e agradecer pelo que eu fizera por Jack. Emocionado, ele voltou-se para mim:

– Eu precisava lhe dizer o quanto sou grato. Você me deu coragem para ir em frente. Por causa da mensagem do meu filho, comecei a frequentar os Alcoólicos Anônimos e estou sóbrio há 63 dias. Posso sentir Mike perto dc mim c sei que ele está me amparando. Pretendo continuar o trabalho dele. Juntos, iremos ajudar pessoas que tenham problemas com bebida. Prometi ao

Mike que, pelo resto da vida, a minha meta seria realizar o trabalho dele aqui na Terra.

Não sinta medo

Se você pedir a mil pessoas que revelem seus pensamentos sobre a vida e a morte, obterá mil respostas diferentes. Cada pessoa é única, e as experiências de vida são diferentes. Além disso, como explicarei adiante, cada um de nós se encontra em um estágio distinto de desenvolvimento da alma. Por isso não somos capazes de compreender plenamente o propósito do nosso plano de alma nem os preparativos que fazemos antes de virmos realizá-lo na Terra.

Ao ajudar seu pai a pensar de maneira diferente, Michael o tornou capaz de ajudar outras pessoas a encontrarem a cura e descobrirem uma nova maneira de viver. Embora os que permanecem na Terra precisem se adaptar à morte de seus entes queridos, isso nem sempre é fácil.

Não importa a causa, a morte é basicamente a transição de uma vida para a próxima. Essa transição pode ou não acontecer rapidamente, mas sempre ocorre uma mudança. Apesar de querermos controlar as mudanças à nossa volta, muitas coisas escapam ao nosso controle. Nada permanece igual, e o mundo em que vivemos está em constante movimento.

Para muitos pais, a perda de um filho também significa outra mudança. Muitos perdem seu senso de identidade: "Quem sou eu sem meu filho?" Isso lhes tira o desejo de viver, porque já não sabem mais quem são.

Venho trabalhando com pais de crianças que morreram há anos e sei que se eles não passarem pelo processo de luto necessário, se não tiverem tempo suficiente para chorar suas perdas e se encontrar de novo, as consequências serão geralmente negativas. Quando os pais tentam sufocar suas emoções e não manifestam o que estão sentindo em relação à morte de um filho, uma onda de sentimentos os carrega como uma bola de neve montanha abaixo, se avolumando e ganhando velocidade enquanto desce.

Nos primeiros dias, semanas e meses de sofrimento, os pais, em geral, vivem como se fossem autômatos – recebem pêsames, tomam providências, telefonam para parentes, procuram se ocupar com qualquer coisa que possa afastá-los da realidade. Estão aturdidos, com a autoestima muito baixa. Deixaram de ser pais daquela pessoa, perderam esse papel que lhes dava importância e razão de ser.

Você pode achar que a morte de um filho estreitaria a união da família. Mas, de modo geral, ocorre exatamente o oposto. Esse fato doloroso muda para sempre a dinâmica entre marido e mulher, e entre os pais e os filhos que estão vivos. É um momento extremamente delicado no relacionamento de toda a família. É claro que o fato de terem uns aos outros pode trazer consolo, mas pai e mãe esperam um apoio mútuo que nem sempre é possível por causa do nível de sofrimento.

Essa dor provoca frequentemente culpa. Um culpa o outro por "não ter prestado atenção" ou por "não ter feito o que deveria". No início, um dos dois assume a culpa pela morte do filho: "Se eu tivesse sido um pai melhor, isso não teria acontecido" ou "Se eu não tivesse lhe dado as chaves do carro, ele nunca teria sofrido aquele acidente!". Depois de algum tempo, a culpa é atribuída ao outro: "Se você estivesse mais presente em casa tomando conta dele, isso nunca teria ocorrido!" ou "Que tipo de mãe é você, que permitia que sua filha andasse com pessoas assim?". Convivo com muitos pais e já os ouvi dizer um ao outro essas mesmas palavras. Depois de algum tempo o ressentimento cresce e se instala.

Quando os pais não conseguem conviver com a dor, os sentimentos de raiva, culpa e mágoa se transformam em desprezo por si mesmo, insônia e depressão, podendo levar ao uso de drogas e bebidas alcoólicas. É muito importante que os pais, sempre que puderem, expressem seus sentimentos. A morte não é um assunto fácil de ser abordado. Mas, para que possamos nos manter saudáveis, ela precisa ser discutida, e os sentimentos precisam ser compartilhados – principalmente entre parceiros.

Sem condições de enfrentar a dor

Stacey não conseguia compartilhar seus sentimentos e estava em estado de total prostração quando foi a um dos meus eventos em Vancouver. Ao vê-la sentada no fundo do auditório, a primeira coisa que me chamou a atenção foi sua aura. Ela parecia barrenta, com vários tons de marrom e cinza. Quando atendo alguém, sintonizo sua aura. Meus guias me ajudam a remover as camadas da aura – como se estivesse descascando uma cebola – para que eu possa entender o que está acontecendo. Todos temos ajudantes no mundo espiritual. Alguns são guias pessoais, como membros da família e amigos que já morreram; outros são professores e curadores das esferas mais altas. Como trabalho com muitas pessoas diferentes, recebo apoio de determinados guias para cada caso. Alguns ajudam a aumentar a energia que me cerca para que eu possa me sintonizar com a frequência mais alta da comunicação espiritual. Um dos meus guias aponta rapidamente problemas físicos, como dores nas costas ou indisposições estomacais da pessoa para quem estou fazendo a sessão. Outro frequentemente compartilha sua sabedoria espiritual através de mim para inspirar uma plateia. Porém, às vezes, o estresse emocional é tão opressivo e a energia da pessoa está tão fortemente comprimida que é necessário haver muita influência energética para que a informação possa penetrar. Isso é muito surpreendente no meu trabalho.

Quando os espíritos revelam fatos que só eram de conhecimento do morto, a pessoa com quem estou falando passa a acreditar no que estou lhe transmitindo. O fato de um ente querido se comunicar a partir de outro mundo surpreende não apenas a pessoa a quem me dirijo, mas também toda a plateia.

– Posso falar com você? – perguntei a Stacey.

Quando ela olhou para mim, pude ver que o enorme sofrimento e o desespero a estavam consumindo.

– Um rapaz de cerca de 18 anos está ao seu lado. Ele está sorrindo.

– Não, não pode ser ele. Ele não pode estar sorrindo.

– Mas ele está sorrindo e quer que eu lhe diga que ele agora está mais feliz do que nunca.

Stacey me lançou um olhar sofrido.

– Ele não quer que você fique tão perturbada. Ele tem tentado ajudá-la, mas não consegue, porque você está muito fechada. Compreende o que estou dizendo?

Ela balançou afirmativamente a cabeça.

– O nome do seu filho é Tony?

Ela se animou.

– Sim, esse é o nome dele.

– Ele gostava muito de esportes, não é? Ele está me mostrando um skate. Ele amava todos os tipos de esportes.

– Sim, esse é o Tony. Ele amava atividades ao ar livre.

– O seu filho era um espírito livre, mas não se sentia livre dentro do próprio corpo. Era um rapaz afoito porque queria se sentir vivo o tempo todo. Ele está dizendo que agora se sente livre.

– Eu não sabia que ele se sentia assim.

– Ele quer que você se perdoe. Você não fez nada de errado. Você compreende? *Você não deve se culpar,* ele está dizendo.

– Mas sinto culpa. Eu poderia ter sido uma mãe melhor. Poderia ter visto os sinais. Poderia ter estado mais presente quando ele mais precisava de mim.

– Você não pode controlar o que aconteceu com seu filho. Ele quer que você o perdoe por fazê-la sofrer tal agonia.

Stacey não conseguia falar e tinha os olhos marejados.

Após ouvir o que Tony dizia, eu me virei para ela.

– Ele está implorando a você que perdoe a si mesma e a ele. Tony sente a sua dor e não poderá seguir adiante enquanto não souber que você está bem.

– Não sei se vou conseguir.

– Ele está me contando uma viagem que a família fez. Eu vejo uma estrada sinuosa e uma cabine. Agora ele está me mostrando pessoas na neve. Você e ele estão brincando na neve. Ele está rindo muito porque você não para de cair.

Stacey sorriu pela primeira vez.

– Ele quer que você pare de tomar comprimidos.

Ela estremeceu e um murmúrio percorreu a plateia. Stacey começou a chorar.

– Eu não quero viver sem o meu Tony.

– O Tony quer que você viva. Ele quer que você melhore para ele poder se conectar com você. Ele está dizendo que a sua mente está muito nebulosa e por isso ele não consegue se conectar. *Por favor, por favor,* ele diz. *Eu amo você. Me perdoe.*

Stacey balançou a cabeça para demonstrar que tinha compreendido.

– Diga a ele que vou tentar.

Tony desapareceu.

Quando uma pessoa está tão bloqueada pela dor e pelo desespero como Stacey, mesmo aqueles que se encontram no plano espiritual acham difícil chegar a ela com suas energias curadoras.

Stacey tomava comprimidos para atenuar a dor. Mas a dor não desapareceria se ela não a enfrentasse, vivenciasse e liberasse. Em uma pessoa extremamente infeliz, a espiral descendente se estabelece com muita rapidez. Esse tipo de sofrimento pode também ser um pedido de ajuda. Algumas pessoas se sentem confortáveis com a dor, porque ela se torna um motivo para não fazerem mais nada. Por isso é importante que uma pessoa imersa em dor receba o apoio de familiares e amigos ou entre para um grupo de apoio. Caso contrário, o sofrimento opressivo poderá levar à autodestruição. Se alguém que você ama está lutando contra a dor, a sua presença e o seu apoio são o melhor presente que você pode oferecer.

Enriqueça os outros

Nós temos sistemas diferentes de crenças, níveis diferentes de compreensão espiritual e maneiras diferentes de lidar com situações. Qualquer que seja o problema, podemos sair fortalecidos ou sermos dominados pelas circunstâncias. Conheço muitos pais que perderam filhos, e eles afirmam que esta foi a pior coisa que podia ter-lhes acontecido. Essa perda, no entanto, também foi uma oportunidade de crescimento que os fez aprender e assim se tornarem pessoas melhores. Para alguns, a tragédia ajudou a encontrar seus caminhos espirituais; para outros, como Marie Levine, foi uma chance de entrar em uma experiência de vida mais completa.

Como disse antes, as pessoas sofrem de maneiras diferentes, mas há sempre um efeito positivo quando um dos parceiros é solidário e, em vez de criticar e culpar, apoia e demonstra apreciação pelo outro. Os relacionamentos não precisam se desfazer por causa de uma perda. Sim, no início, a vida vira de cabeça para baixo, mas, quando você aceita e compreende o sofrimento do outro, ela passa a ter um significado totalmente novo. Sentimentos compartilhados aprofundam um relacionamento.

Para haver uma recuperação positiva dos casais, um dos primeiros passos é viver de uma forma de que o filho se orgulharia. Embora não esteja mais em seu corpo físico, ele observa seus pais terrestres a partir do mundo celestial. Os pais podem aproveitar o acontecimento de maneira construtiva. Por exemplo, se um filho foi atropelado por um carro em um cruzamento onde não havia sinal de trânsito, os pais podem organizar um movimento para que um sinal seja instalado naquele local, salvando outras vidas. Se um filho morreu por causa de uma doença rara, os pais podem chamar a atenção do público para a necessidade de pesquisar aquela doença. Os pais podem também formar grupos de apoio para ajudar outros pais que estejam vivendo as mesmas experiências. Os pais podem transformar uma tragédia em um ato generoso e criar resultados positivos para muitos outros.

Mas também é preciso que o casal se ajude e não negligencie suas próprias necessidades. A dor causada pela morte pode devastar física e mentalmente uma pessoa, e os pais precisam investir para permanecerem saudáveis e fisicamente ativos. Uma boa condição física é uma maneira maravilhosa de conviver com os estágios de sofrimento, porque o exercício físico libera endorfinas na corrente sanguínea e atua como um bom relaxante no corpo.

Pacto entre almas

Como parte de seu plano, uma alma faz um acordo ou um pacto com outras almas para aprender lições específicas, como humildade ou generosidade, corrigir erros de julgamento cometidos em vidas passadas ou compartilhar o amor de uma nova maneira. Essas outras almas fazem parte do seu grupo de almas. Os membros de um grupo de almas podem afetar nossa vida terrestre por anos, meses, dias ou meros instantes. Você pode estar numa festa ou num encontro de negócios e começar a conversar com um estranho sobre alguma coisa profunda ou importante. Sem entender a razão, você se sente à vontade com essa pessoa, como se a conhecesse há anos. Depois, assim como surgiu, o estranho desaparece de sua vida e você nunca mais tem notícias dele. Esse contato inesperado foi planejado no nível das almas, porque havia alguma coisa que você ou o outro precisava ouvir ou dizer.

Os pactos entre almas são acordos feitos nas esferas espirituais antes de a alma encarnar na forma humana, e todas as almas envolvidas precisam concordar em participar. Para entender melhor seus pactos com outras almas, você precisa primeiro saber que somos todos almas em jornadas espirituais. Já me perguntaram inúmeras vezes: "Como posso aumentar minha percepção dos níveis espirituais?" Minha resposta é simples: aprenda a prestar atenção.

Uma vez estive com um casal que tinha perdido quatro filhos em menos de dez anos. Perguntei como tinham conseguido sobreviver a tamanha dor. Queria saber se eles tinham alguma fórmula que pudesse ajudar outras pessoas a lidar com um golpe semelhante. Eles explicaram que aprenderam a sobreviver conhecendo melhor a si mesmos. "Você não pode se isolar nem negar a maneira como se sente", eles me disseram. "Você precisa prestar atenção no que está acontecendo e entender que é capaz de lidar com o que aconteceu. Ninguém pode nos conhecer melhor do que nós mesmos."

Esse casal sabia que não tinha resposta para o motivo de terem vivido aquela situação. Para compreender melhor o que lhes acontecia e aprender a aliviar o sofrimento, começaram a meditar. Durante essa prática, foram aprendendo aos poucos a deixar de lado suas preocupações e concentrar-se no fato de estarem vivos naquele momento. Passaram a tomar consciência de suas reações emocionais e a ver como o sofrimento estava afetando o bem-estar físico e mental dos dois. Conseguiram aceitar a realidade de suas perdas e digerir cada uma delas da maneira mais positiva possível. Cada morte os fez passar por muitos processos de busca interior. Perguntei como conseguiram manter a esperança. Eles responderam: "Descobrimos que a dor da perda é uma energia tão valiosa quanto a alegria do amor. Trata-se da forma de ver as coisas."

Eis a história do casal:

Conheci Alice e Peter numa pequena demonstração que fiz durante uma das minhas noites de autógrafos. O casal, na faixa dos 70 anos, estava sentado de mãos dadas no fundo da sala. Achei bonito o carinho que demonstravam um pelo outro depois de tantos anos de vida em comum. Lembro-me nitidamente da beleza do sorriso de Alice e da sua luminosa energia. Eu já tinha transmitido várias mensagens a diversas pessoas da plateia, quando percebi o espírito de um homem jovem atrás de Alice e Peter.

O espírito, de cerca de 25 anos, tinha cabelos castanhos e olhos azuis impressionantes. Ao fixar meu olhar, ele me cumprimentou e telepaticamente me enviou o nome de Joseph.

Virei-me para Alice e perguntei:

– A senhora conhece algum Joseph, um jovem que já morreu?

– Sim – ela respondeu. – Era meu filho, e morreu alguns meses depois de nascer.

Nesse instante, um homem idêntico ao Joseph posicionou-se à direita de Alice e colocou a mão em seu ombro.

– Há outro homem, igual ao Joseph. Isso faz algum sentido para a senhora?

Suavemente, ela respondeu:

– Sim, deve ser seu irmão gêmeo, Joel. Morreu pouco antes de Joseph.

– Eles estão agradecendo a presença de vocês aqui esta noite.

Quando vários espíritos vêm juntos, eles geralmente unem seus pensamentos e me enviam uma única mensagem.

– Joel está me dizendo que vocês sabem muito bem que eles estão sempre ao seu lado, ajudando-os. Ele está pronunciando a palavra "contraste". Vocês sabem o que isso significa?

– Eu sei – Peter exclamou, rindo alto.

– Joel está me dizendo que ele e o irmão estavam com o senhor no domingo passado e o viram fazendo palavras cruzadas. O senhor não conseguia se lembrar dessa palavra.

Peter riu mais uma vez.

– Eu não conseguia descobrir a palavra e por isso olhei para o céu e pedi a meus filhos: "Meninos, preciso da ajuda de vocês." Alguns minutos depois, a palavra "contraste" me veio à mente. Eles falam conosco o tempo todo.

Naquele momento, o espírito de uma mulher chamada Betty apareceu à minha esquerda e pediu-me que agradecesse à mãe dela por estar trabalhando como voluntária.

– Há outro espírito aqui com o nome de Betty. Ela quer agradecer à sua mãe por ter-se oferecido para trabalhar como voluntária. Isso tem a ver com alguém aqui?

Olhei em volta, mas ninguém respondeu.

Então Alice explicou:

– Deve ser a minha filha Betty. Ela morreu há muitos anos. Semana passada comecei a trabalhar como voluntária numa agência de adoção.

Quando Alice falou, fiquei chocado, o que raramente acontece. Enquanto me recompunha, Betty enviou outra mensagem que transmiti a Alice.

– Betty está me pedindo para dizer que vocês estão fazendo um trabalho perfeito, segundo o pacto que o seu grupo de almas planejou.

– Obrigada, fico feliz por saber disso – respondeu Alice.

Naquele momento, uma pessoa que estava sentada no centro da sala levantou a mão.

– O que significa isso que Betty disse: um grupo e um pacto?

– Deixe-me perguntar a Betty – respondi.

Alice sorriu no momento em que seus dois filhos colocaram as mãos nos ombros dos pais.

A resposta de Betty já tinha aparecido na minha cabeça, como se ela estivesse dando uma aula sobre espiritualidade básica. Ela disparou pensamentos e explicações que transmiti para a plateia.

– Betty está dizendo que ela, seus pais, seus irmãos e duas outras irmãs fazem parte de um mesmo grupo de almas. Isso significa que eles já vivenciaram muitas vidas juntos. Voltaram para este planeta para aprender mais.

– Aqui ou no céu – interrompeu Alice.

Transmiti as palavras que me ocorriam, vindas de Betty. *Cada um de nós precisa aprender lições que ajudem o grupo de almas a evoluir. Desta vez, minha lição era dar aos outros a oportunidade de demonstrar compaixão e bondade por mim.*

Perguntei a Betty como é que ela tinha morrido, e a resposta foi: *Leucemia.*

– Ela está dizendo que morreu de leucemia. É verdade?

Alice e Peter balançaram a cabeça afirmativamente.

– Nós cuidamos muito bem dela. Betty era um amor, sempre se preocupava com os outros. Ela cuida de crianças pequenas agora.

– O que é que vocês querem dizer com isso? – perguntei.

– Lá no céu, a função dela é ajudar as crianças pequenas a fazer a travessia para a luz. Betty espera por elas do outro lado, para que não sintam medo.

A plateia inteira manifestou sua surpresa – eu inclusive.

– Quais eram as lições que o resto do seu grupo precisava aprender? –perguntei.

Enquanto as mensagens de Betty chegavam a mim, vi o espírito de outra mulher ao seu lado. Ela disse seu nome.

– Vocês conhecem uma mulher que morreu chamada Jacqueline ou Jackie?

– Sim, é a nossa outra filha. Ela morreu em um acidente de carro aos 17 anos – respondeu Peter.

Foi nesse momento que tomei consciência da tragédia que o casal tinha vivido. Expressei o espanto de todos.

– Alice, você perdeu quatro dos seus filhos?

– Sim. Mas nunca senti que os tinha perdido. Na minha concepção, estamos apenas em fases diferentes da vida. Nós estamos aqui, fazendo o que precisamos fazer, e eles estão lá, fazendo o que devem fazer. Eu sei que nos veremos um dia. Tudo a seu tempo.

Eu não sei o que me surpreendeu mais: se o fato de um casal idoso ter perdido quatro filhos ou o fato de eles parecerem fisicamente saudáveis e bem adaptados. Essa lição foi incrível para todos nós que tivemos o privilégio de estar com eles.

Pedi a Alice e Peter que ficassem mais um pouco depois do evento, porque queria conversar com eles. Então expressei minha gratidão pela presença dos dois e por terem compartilhado sua incrível história com todos os presentes.

– Esse é o nosso trabalho! – disse Peter.

– Isso também faz parte do pacto do nosso grupo de almas – acrescentou Alice. – Precisávamos aprender sobre abandono, laços rompidos, a realidade da vida e da morte e, sobretudo, que *o amor é a única coisa que importa*. Fazemos tudo por amor. Estamos felizes por termos podido dar a nossos filhos as oportunidades de que eles precisavam para voltar quantas vezes fossem necessárias. Pudemos cumprir nossas obrigações.

Quando perguntei se poderia escrever sobre a história deles, porque continha uma mensagem importantíssima e positiva sobre a morte, o sofrimento e o amor, Alice respondeu:

– Claro! É por isso que estamos aqui. Queremos compartilhar nossa história, fazer com que os outros saibam que a morte é apenas uma porta, que só o amor pelo próximo nos realiza como seres humanos e aprender a não levar tudo tão a sério!

Eu me senti abençoado.

Dez minutos depois, enquanto guardava os presentes que havia recebido dos participantes, levantei a cabeça e vi Alice e Peter saindo felizes, acompanhados por todos os membros da família.

dois

Uma criança chega ao mundo espiritual

As crianças são almas que beijam a Terra.
– Doris Stokes

Como seres humanos, temos um corpo, uma mente e uma alma. Quando morremos, porém, apenas o corpo físico morre, enquanto a mente e a alma permanecem vivas e conscientes. Imutáveis e eternas, nossas almas já viveram neste planeta inúmeras vezes em muitos corpos e também existiram em outras formas e manifestações em vários sistemas solares, universos e dimensões. Cada um desses lugares provê as lições necessárias para a alma evoluir de uma determinada maneira, em um momento específico. Temos um senso espiritual inato que nos permite aprender e compreender tudo sobre a vida, e por isso somos capazes de nos adaptar a situações específicas e nos juntar a outros, tanto na condição de professores quanto na de alunos – porque ninguém consegue compreender totalmente a vida sem a ajuda dos outros.

No momento da morte, uma alma retorna a sua morada às vezes após uma longa estadia na Terra. Com uma criança é diferente. Por ter ficado pouco tempo encarnada, ao retornar a sua casa espiritual tudo lhe parece familiar e natural.

A maneira e as circunstâncias em que uma criança deixou seu corpo físico podem indicar as condições que ela encontrará do outro lado. Por exemplo, se a criança estava muito doente, ela talvez acorde em um ambiente hospitalar, onde receberá ajuda para restabelecer sua energia vital, ou prana, que foi consumida durante a doença. A palavra prana vem do antigo sânscrito e significa "energia vital". É o prana que energiza e ativa a alma de volta à saúde. Eu o comparo ao combustível que mantém o carro em movimento. É interessante notar que, embora eu saiba que isso acontece, raramente ouço o espírito de uma criança falar de hospitais ou de longas recuperações. A maioria entra no outro lado com facilidade, sem precisar fazer força, independentemente das circunstâncias de sua morte.

Deixe-me apenas acrescentar que as crianças muito raramente permanecem presas à Terra como fantasmas. Lembre-se de que elas não estão sobrecarregadas de emoções negativas como os adultos, embora sempre existam exceções: se uma criança é assassinada, ela pode tentar ajudar os pais a encontrarem o assassino; se uma criança desaparece, ela pode permanecer para ajudar a localizar seu corpo físico e assim aquietar a mente dos pais.

Os pais sempre se perguntam: "Por quê? Por que isso aconteceu conosco, com meu bebê, com nossa família?" Tendo como base a minha experiência, eu diria que nenhuma criança morre antes da hora. Quando uma alma cumpre seu propósito na vida, seu corpo físico morre. Do ponto de vista espiritual, não existem acidentes. A transição é considerada um ponto decisivo no plano de vida de uma alma. Além disso, nenhuma criança *morre* sozinha. O mundo espiritual fica bem atento ao retorno de cada criança ao seu lar espiritual, e os espíritos estão a postos, aguardando a sua chegada.

Em geral, uma criança é recebida e conduzida para o outro lado por alguém que ela conhece – um avô, uma avó, uma tia ou outra importante conexão de alma. Pode até ser o espírito de alguém que a criança nunca tenha conhecido em seu último período de vida

– pode ser alguém que ela tenha conhecido em uma vida anterior. As crianças também podem ser conduzidas à luz por espíritos ajudantes que sentem um imenso carinho e amor por elas. Esses guias geralmente escolhem ser emissários para os mais jovens por inúmeras razões: não tiveram filhos enquanto estavam na Terra, têm bastante experiência em lidar com crianças ou são cuidadores bem qualificados. Esses espíritos ajudantes agem como pais adotivos e confortam as crianças recém-chegadas.

Quando uma criança ou um jovem morrem, seja por causa de um acidente inesperado, de uma overdose de drogas ou de uma doença terminal, a primeira coisa que experimentam ao deixar o corpo é uma sensação de liberdade. É como o ato de despir um pesado casacão no calor de um dia de verão. Todo o desconforto, toda dor e sofrimento desaparecem. A vulnerabilidade e a impotência que talvez sentissem na Terra somem rapidamente. Uma criança entra no mundo espiritual com muito menos bagagem emocional do que um adulto. E, como a próxima história descreve, seu espírito é invadido por uma incrível alegria e uma imensa sensação de paz.

Eu estou vivo!

Eu estava ensinando sobre as várias técnicas de mediunidade em um seminário de fim de semana na Califórnia. Para fazer contato com um espírito preciso estabelecer uma conexão e me colocar em um determinado nível de receptividade. Consigo isso por meio da meditação. Como já foi dito, a meditação limpa o espaço do ego e abre os canais necessários para que os espíritos ocupem a minha mente com seus pensamentos. Depois que a conexão é estabelecida, eu forneço informações que comprovam a autenticidade da comunicação do espírito. Durante esse seminário, recebi uma visita inesperada do mundo espiritual.

Enquanto abria a mente para o mundo espiritual, meus pensamentos foram tomados pela visão de um menino de cerca de 9 anos que caminhava em direção a mim. Seu nome era Jeffrey.

Preciso fazer com que minha mãe e meu pai saibam que eu estou bem. Não consigo me aproximar deles. Minha mãe está sempre na minha cama, chorando, e não me vê nem me ouve.

Como já disse, quando os seres humanos estão num profundo estado de prostração, os espíritos têm dificuldade de chegar até eles e precisam da ajuda de guias ou de outros espíritos avançados para se conectarem. Durante todo o tempo em que venho realizando esse trabalho, ouvi dos espíritos a mesma mensagem inúmeras vezes: eu não estou morto, estou muito vivo!

– Como foi que você morreu? – perguntei a Jeffrey.

Jeffrey invadiu minha mente com seus pensamentos e disse que tinha sido em um lago. *Eu estava brincando em cima de uma pedra quando escorreguei, caí e bati com a cabeça,* contou. *Sinto muito ter causado tanta tristeza a todos.* A seguir, acrescentou que queria que seus pais não ficassem tristes.

Virei-me para a plateia.

– Há alguém aqui com alguma ligação com o Jeffrey?

Uma mulher levantou a mão.

– Acho que pode ser o meu sobrinho. Ele morreu de um aneurisma cerebral depois de cair de uma pedra!

"Você pode me fornecer mais alguma informação?", pedi a Jeffrey, telepaticamente.

Depois de ouvir o menino, voltei-me para a mulher.

– Jeffrey disse que o Vovô Jimmy estava lá.

– Meu Deus, é ele! – exclamou a mulher.

– Jeffrey está dizendo que quer que a mãe dele fique bem.

– Transmitirei a mensagem – disse ela. – A mãe de Jeffrey se sente culpada por não ter conseguido salvá-lo. Acha que a culpa foi dela.

Aproveitei para perguntar a Jeffrey sobre sua vida no mundo espiritual:

"O que é que você faz lá?"

Vou à escola, como fazia antes, ele respondeu.

"O que é que você está estudando?"

Coisas diferentes. Posso fazer o que quero. Gosto de fazer coisas com as mãos e é isso que estou aprendendo. Meus professores me ajudam muito.

"Você tem amigos da sua idade?"

Claro, ele respondeu. *Há muitas crianças aqui, e nós brincamos e nos divertimos.* Ele disse que podia se movimentar com muito mais rapidez do que antes. Quando quer ir a alguma parte, basta pensar naquele lugar com a mente para chegar lá. *Eu não preciso da minha bicicleta,* ele me disse. Relatei tudo isso para a plateia.

"Você quer dizer mais alguma coisa?", perguntei.

Diga apenas à mamãe e ao papai que ainda estou vivo e que posso vê-los o tempo todo, ele respondeu. Perguntei à tia de Jeffrey se ela tinha compreendido.

Ela balançou afirmativamente a cabeça.

Ao olhar para o resto da plateia, vi várias pessoas chorando. A inocência infantil, o encanto da energia e a franqueza do Jeffrey tinham comovido todos os presentes.

O passeio de Kylie no céu

Enquanto escrevia este capítulo, Kylie, a menininha do velório, surgiu na minha mente. Como médium, entro nesse estado de transe de tempos em tempos. Entretanto, fiquei um pouco surpreso ao ver Kylie de novo. Ela imediatamente montou no seu pônei branco e começou a voar ao meu redor.

Naquele momento, outro espírito se aproximou dela. Estava vestindo um terno de linho marrom-claro e logo percebi que era o guia de Kylie. "Quem é você?", perguntei. *Eu me chamo Herbert,* ele respondeu. *Sou um tipo de recepcionista aqui.*

Herbert e Kylie se sentaram embaixo de uma árvore, e ele disse para ela: *Você irá para a escola aqui, assim como fazia na Terra.*

Kylie respondeu: *Quero aprender a fazer roupas bonitas e bem coloridas para vestir a minha boneca.*

O guia apontou para um lindo prédio decorado com madrepérola e ouro: *Talvez você possa frequentar essa escola aí.*

Kylie olhou fixamente para o desfile de cores que emanavam do topo do prédio. O guia então explicou que os estilistas do céu frequentemente inspiram a mente dos seres humanos com suas criações. É assim que as pessoas na Terra têm ideias para criar coisas novas. Ela perguntou: *Quer dizer que primeiro as roupas são feitas no céu?*

Ele segurou e acariciou a mão dela. *Tudo – quadros, histórias, música e ciência – tudo é criado no céu antes de ir para a Terra.*

Kylie então perguntou: *Por que as pessoas têm tantas cores diferentes?*

Ele explicou que as cores definem quem aquelas pessoas são como almas. Algumas cores revelam o nível de compreensão e maturidade de uma alma, outras indicam o nível de interesse. Por exemplo, a alma de um marceneiro pode mostrar a cor vermelha, o que revela a sua força.

Enquanto Kylie e Herbert passeavam por aquilo que parecia ser uma paisagem incrivelmente luminosa, ouvi o comentário dela: *Parece a Disneylândia. Que cores bonitas! A Sininho deve estar tocando tudo com sua varinha de condão.* A seguir, ela perguntou ao seu guia: *O que é que as pessoas fazem aqui?*

Herbert sorriu com satisfação e respondeu: *O que elas quiserem.* Ele apontou para uma pessoa que estava tocando piano. *Aquele homem sempre quis fazer isso durante sua vida na Terra. Está finalmente aprendendo a tocar.* A seguir, mostrou uma pessoa pintando uma tela grande e disse para Kylie que no mundo espiritual há grandes mestres que ensinam arte e música. Essas almas foram criativas em muitas das suas vidas.

Os dois subiram uma pequena ladeira verde, ao lado da qual um grupo de crianças e adultos parecia estar fazendo um piquenique. Ninguém parecia ter pressa. Eu podia ver um enorme edifício de pedra no que parecia ser uma praça romana, com todos os detalhes, inclusive um chafariz de mármore muito alto.

Onde estamos? Kylie perguntou.

Herbert respondeu que aquela era uma das muitas Salas de Recepção, um lugar onde famílias e amigos se reuniam para receber os recém-chegados. Ela então saiu correndo para brincar com as crianças no que parecia ser um bonito parque.

Herbert continuou a se comunicar comigo. *Este é um lugar muito feliz. Há milhares de reencontros todos os dias. Aqueles que se julgavam mortos acordam e veem que estão vivos, que chegaram em casa.* A seguir, Herbert levou Kylie até um casal que ela imediatamente reconheceu. Naquele momento, meu transe acabou. Eu me perguntei se seriam os avós dela ou alguns parentes do passado. Ela parecia muito feliz por vê-los.

Meu encontro com Kylie e Herbert me inspirou. Eu já tivera um vislumbre do céu anteriormente, mas aquele passeio foi excepcional, e estou convencido de que Kylie e Herbert gostariam que eu compartilhasse essa experiência com meus leitores. Quero levá-los agora mais adiante nessa dimensão espetacular.

O mundo espiritual

Eu já sabia muito a respeito do que Kylie me mostrou, por causa das centenas de sessões que fiz e das informações que me foram fornecidas pelos meus guias. Primeiro, os espíritos entram em uma área mais próxima da dimensão da Terra, que muitos chamam de mundo sideral. É um nível que lembra bastante a Terra, porque lá existem jardins bonitos, casas, florestas e lagos. O mundo sideral incorpora toda a beleza da Terra, mas é muito mais exuberante na cor e na movimentação. Nessa dimensão, o tempo não existe, o que significa que não há dia nem noite. Embora pareça haver um sol, a iluminação é gerada pela beleza incandescente dos arredores. Ali, a iluminação vem de dentro, e não do exterior.

É compreensível que Kylie visse o mundo sideral como uma Disneylândia. Os adultos poderiam imaginá-lo como um mundo visto através de lentes de terceira dimensão – mas sem as lentes. Por exemplo, veríamos todos os ângulos dos prédios simultaneamente. Uma estrutura pareceria vibrar com a energia daqueles que a criaram e estaria em perfeita harmonia com seu ambiente – cintilante e resplandecente, espaçosa e acolhedora.

Em geral, os espíritos descrevem o mundo espiritual como um caleidoscópio mágico formado por cores vivas e vibrantes. Os espíritos não veem apenas a cor, mas também a sentem. Para eles, além de parecerem vivas, as cores também revelam qualidades específicas. Como Herbert explicou, o vermelho transmite poder e vitalidade. O azul expressa tranquilidade e fluidez, o verde indica cura e cuidado, o amarelo representa acuidade intelectual, e assim por diante. Quando espíritos de crianças aparecem para mim, suas cores são lindamente luminosas. Em suas vidas terrestres elas não tiveram tempo suficiente para serem contaminadas pelas energias mais escuras da astúcia e da privação.

Como os sentidos estão mais apurados e ativos no mundo espiritual, nele a comunicação também se processa de maneira muito diferente. Na Terra, precisamos usar a fala, os computadores e telefones celulares para nos comunicarmos. No mundo espiritual, trocam-se ideias através do pensamento. Assim que um espírito pensa, o seu pensamento se concretiza e se torna realidade! Isso pode ser uma faca de dois gumes para espíritos ainda presos às emoções humanas negativas, porque, quando o pensamento de um espírito se manifesta, todos os espíritos que o cercam podem ver e sentir o que ele está pensando.

Boa parte do meu trabalho é efetuada por meio de pensamentos e sentimentos. Eu consigo me conectar com almas de pessoas já falecidas da mesma maneira que as almas se comunicam no mundo espiritual. É uma sensação bastante libertadora, porque as informações chegam instantaneamente – não há nada a lembrar ou esquecer.

Como Herbert descreveu, quando as crianças chegam, elas são recebidas por um guia na Sala de Recepção. De lá, seguem para uma área aberta onde passam por uma limpeza, para que se retirem as marcas emocionais adquiridas durante a estada na Terra. As crianças raramente têm energias negativas próprias. Dependendo dos ambientes terrestres em que viveram – acolhedores e felizes, ou deprimentes e opressivos –, qualquer energia negativa ligada a elas foi gerada pelas crenças de seus pais, parentes, professores e amigos. Por isso, quando as crianças entram nessa área aberta, uma chuva de energia de luz as envolve, removendo qualquer energia indesejada que possa ter-se prendido na Terra.

A minha alma está limpa

Há alguns anos, enquanto eu fazia uma demonstração em Atlantic City, o espírito de uma adolescente chegou e contou uma história extraordinária que eu gostaria de compartilhar com vocês.

Comecei a demonstração como de costume, informando quem eu sou e como os espíritos se comunicam com os vivos. Após esse breve discurso, fechei os olhos e fiz uma oração, pedindo a meus guias espirituais que me ajudassem e protegessem todos os presentes. Ao abrir os olhos, vi imediatamente uma figura acenando para mim. No início, achei que era uma mulher muito baixa, mas, ao me dirigir para o fundo do auditório, percebi que era uma jovem de cerca de 15 anos. Embora parecesse bastante frágil, era atraente, tinha longos cabelos escuros e profundos olhos castanhos. Sorria e acenava e, quando me aproximei de um grupo de mulheres na plateia, começou a apontar para elas com grande entusiasmo.

Eu me virei para as três mulheres em frente a mim e disse:

– Está aqui uma adolescente que quer muito falar com vocês.

Os olhos das mulheres se iluminaram e uma delas começou a chorar.

– Quem é Gemma ou Jenna? – perguntei.

– Gina! – elas exclamaram em uníssono.

Sorri com a excitação do grupo. Gina começou a me mostrar sua história.

– Ela está me mostrando um grupo grande de pessoas, como se fosse em uma festa. Há muitos jovens dançando. Posso sentir muita energia: os jovens estão descontrolados, há muita bebida rolando. A maioria está bêbada. Vocês compreendem?

– Sim – disse uma das mulheres.

– Como é seu nome? – perguntei.

– Sou Denise, tia da Gina. – Ela se virou e apontou para as outras duas mulheres. – Esta é Pauli, irmã da Gina, e esta é Rita, a mãe dela.

Levei a mão à cabeça. (Posso sentir um formigamento na parte de trás da cabeça.) Continuei olhando para a cena que Gina me mostrava e demonstrei compreender o que acontecera.

– Sua filha levou um tiro na cabeça, não foi? – perguntei a Rita.

Os olhos da mãe se encheram de lágrimas.

– Sim, ela foi atingida por um tiro em uma festa de aniversário.

– Pelo que estou entendendo, a pessoa que atirou nela não deveria estar ali. Gina está dizendo que era um penetra.

– Sim, ele estava procurando alguém que pertencia a uma gangue e que supostamente estaria lá. Ele começou a atirar nas pessoas. Gina foi atingida antes de perceber o que estava acontecendo.

Pauli agarrou a mão de Rita e apertou-a. Gina começou a me mostrar mais detalhes daquela cena terrível.

– Havia muitas drogas naquela festa – relatei. – Muitos jovens deitados no chão. Muita energia negativa ao redor deles, uma energia escura.

– O que é que você quer dizer com isso? – perguntou Denise.

– Onde há muitas drogas, bebidas alcoólicas e pessoas dispostas a causar danos há sempre muita energia negativa, não apenas trazida pelos que estão vivos, mas também por aqueles que já morreram e ainda continuam presos à Terra.

Olhei para Rita.

– A sua filha estava com um grupo errado de pessoas. Havia raiva e ódio lá, muita escuridão naquela sala. Ela estava no lugar errado. Você compreende isso?

Pauli respondeu:

– Minha irmã gostava de um cara que pertencia a uma gangue. Eu pedia a ela que o deixasse, mas Gina não me ouvia. Ficava repetindo que gostava dele.

Gina continuou a me enviar mensagens. Elas vinham com tanta rapidez que tive de pedir-lhe para ir mais devagar. Quando ela fez uma pausa, relatei seus pensamentos para as três mulheres.

– Ela está dizendo que agora compreende que o namorado não era grande coisa. Ele estava sempre se envolvendo com drogas, sempre querendo mais e mais dinheiro e não se importava nem um pouco com quem pudesse prejudicar. Ela não imaginava que ele pudesse matar alguém por causa de alguns trocados.

Rita ouviu em silêncio, o tempo todo apertando a mão de Pauli.

Comecei a explicar para o resto da plateia.

– Essa pobre garota ficou presa num campo de energia muito negativa. Ela andava com jovens que tinham muita raiva dentro deles. Nossos pensamentos criam a nossa realidade. Se vivemos com medo e raiva, criamos medo e raiva em nossa vida. Atraímos aquilo que estamos sentindo. Gina atraía energia negativa simplesmente por estar com o seu namorado. Ela poderia ter-se afastado, seguido o conselho da irmã, mas não o fez. Essa foi uma lição de alma para ela. Gina achava que poderia superar a negatividade dele de alguma forma. Foi uma lição muito dura para ela.

Depois, eu me virei para Rita, Pauli e Denise.

– Gina era muito ingênua em alguns aspectos. Queria acreditar naquele rapaz, mas no fundo sabia que ele estava mentindo sobre as drogas e as brigas.

As três balançaram a cabeça para mostrar que compreendiam.

– Gina está com sua tia-avó e seu tio-avô. Eles estão tomando conta dela agora.

– Mas ela era apenas uma criança quando eles morreram – disse Denise.

– Ela diz que os conhecia da igreja.

– Isso é verdade – Rita concordou. – Eles a levavam à igreja todos os domingos.

– Ela está dizendo que viu os que se encontravam no funeral.

– Oh, meu Deus! – exclamou Pauli. – Ela estava lá?

– Ela queria ver seus amigos mais uma vez.

Gina enviou outra cena para a minha mente.

– Ela está dizendo que precisou ser batizada novamente. Não da maneira como isso é feito na Terra, com água. Está dizendo que foi batizada na luz. Teve de remover toda a raiva da mente. Ela sente muito ter causado tanta dor a vocês. Quer que vocês saibam que ela está indo para a escola agora. Diz que deseja ajudar jovens a saírem das gangues.

Depois disso, Gina sumiu da minha visão.

Quando alguém passa por uma limpeza no céu, como a que foi feita em Gina, apenas as pesadas energias terrestres "venenosas" são removidas. As lembranças continuam intactas, e tudo o que aprendemos na Terra permanece conosco. Essa limpeza se assemelha ao acordar de um sono reparador, de um sonho agradável ou de uma meditação profunda. Nós nos sentimos revigorados, lúcidos e mais conscientes de quem somos. Não precisamos mais nos agarrar a pensamentos negativos, hábitos prejudiciais ou opiniões limitadoras, ou seja, a tudo aquilo que esteve associado à nossa vida terrestre. Estamos finalmente livres.

Eu cresci

No mundo espiritual, todas as crianças crescem, até mesmo os bebês. Portanto, quando uma criança aparece para seus pais durante uma sessão, ela tanto pode ter a aparência da criança que eles conheceram como da pessoa adulta que se tornou. Os pais, em geral, reconhecem os traços de seus filhos, mesmo como adultos. Por exemplo, quando um espírito adulto explica que é um músico, os pais lembram que seu filho começara a ter aulas de música antes de morrer. Como você verá na próxima história, os pais raramente se surpreendem ao tomarem conhecimento dos interesses de seus filhos no mundo espiritual.

Há alguns anos, fiz uma demonstração para mil pessoas. Depois de tomar um gole de café, virei-me para a plateia e disse:

– Estão aqui comigo um homem e uma mulher. Acho que são casados. – Apontei para a segunda metade do lado direito da sala e continuei: – A mulher usava um andador antes de morrer. Ela está me dando um nome, algo que soa como Mathie ou Mattie. O marido está com ela. O dedão do pé esquerdo dele foi amputado por causa de diabetes. Isto faz algum sentido para alguém?

Depois de um tempo, ouvi uma senhora lá no fundo dizer:

– Sim.

– Por favor – pedi. – Eu realmente preciso ouvir a sua voz para poder fazer contato. A senhora compreende a informação que acabei de dar?

Notei uma mulher gordinha sentada do lado direito da sala. Usava um lenço branco em volta da cabeça, e percebi que ela estava com muito medo de se levantar. Devo dizer que essa dificuldade de confirmação sempre me deixa surpreso. Compreendo que uma pessoa seja tímida e não queira ficar de pé diante de uma plateia, mas o objetivo dos meus eventos é ajudar as pessoas a entrarem em contato com seus entes queridos. Muitos espíritos não conseguem se comunicar porque seus entes queridos vivos na Terra não se pronunciam, nem participam. Portanto, se você for a algum dos meus eventos, participe, por favor.

Após alguns minutos de persuasão, a mulher levantou-se e um dos ajudantes lhe passou um microfone.

– Olá. Qual é o seu nome?

– Roseanne.

– Posso chamá-la de Rosie? É assim que esse homem está insistindo que eu a chame, e não de Roseanne.

– É o meu pai. Ele detestava o meu nome e mandava todo mundo me chamar de Rosie!

– Sua mãe está com ele.

– Sim, o nome dela é Mattie.

Percebi o quanto Rosie estava nervosa. A mãe dela continuou falando.

– Sua mãe está dizendo que você precisa tirar todas as caixas velhas da garagem. Está dizendo também que havia uma família de gatos morando entre as caixas.

– Eu já comecei a fazer isso – Rosie respondeu. – Os gatos estão no andar de cima agora.

No meio da comunicação, um ser espiritual que parecia bastante evoluído posicionou-se entre a mãe e o pai de Rosie. Recebi um pensamento para transmitir a Rosie.

– Seus pais estão me dizendo que você é uma entre três filhos. É verdade?

Rosie balançou a cabeça negativamente.

– Não, somos apenas eu e o meu irmão, Ben!

– Não, a sua mãe está me dizendo que você é uma entre três. Quem é a Gracie?

Naquele momento, achei que Rosie fosse desmaiar. Suas vizinhas a ampararam.

– Oh, meu Deus! – ela exclamou, cobrindo o rosto com as mãos.

– A senhora conhece a Gracie? Porque ela veio aqui com a sua mãe e o seu pai para cumprimentá-la.

– Sim, sim, sim! Gracie era a minha irmã gêmea que morreu no parto. Eu sobrevivi, mas ela, não. Rosie começou a chorar. – Sinto muito, Gracie. Sinto muito.

– Gracie está bastante feliz e não quer que a senhora se sinta culpada. Esse não era o plano de alma dela.

– O que é que você quer dizer com isso? – perguntou Rosie.

– Gracie está me dizendo que vocês duas já viveram muitas vidas juntas e que nesta vida a senhora precisava aprender mais sobre o mundo da Terra do que ela. Ela tinha de estar onde ficou.

Era difícil para Rosie entender. Eu sabia que aquela experiência era nova para ela. Expliquei um pouco sobre o que é um grupo de almas e um pacto entre almas.

Rosie interrompeu:

– Gracie morreu quando era um bebê. Você está me dizendo que ela cresceu?

– Sim, a sua irmã cresceu no céu.

Nesse momento, Gracie ocupou a minha mente e, com o apoio de seus adoráveis pais, começou a contar para Rosie e para toda a plateia onde ela tinha estado nos últimos quarenta anos. O público ficou aturdido.

– Gracie quer que a senhora saiba que os espíritos de fato crescem no céu.

– Como foi que ela cresceu? – perguntou Rosie extremamente curiosa.

– Sua irmã está me dizendo que teve vários guias. Eu posso vê-la, ela é um ser adorável.

Gracie foi me transmitindo pensamentos e visões.

– Sua irmã está me dizendo que, assim como todos os espíritos que morrem jovens, ela pôde escolher uma escola. Como tinha muito interesse em conhecer a mente e o comportamento das pessoas, ela foi estudar aquilo que aqui na Terra chamaríamos de psicologia.

– Quem são Tia Dorie e Tia Kaye? – perguntei a Rosie.

Ela ficou pálida.

– Eram as minhas tias-avós. Nós nunca as conhecemos.

– Bem, elas conhecem a Gracie. Sua irmã sente um grande amor por essas duas tias que sempre a acompanharam do outro lado. Está dizendo que elas sentem muito orgulho dela.

– O que é que ela faz lá? – perguntou Rosie.

– Bem, na verdade, o que ela quiser fazer.

Ouvi atentamente tudo o que Gracie estava me enviando.

– Ela foi treinada para trabalhar com as pessoas na Terra, principalmente com mulheres que não conseguem ter filhos. Ela atua no lado emocional delas. Está dizendo que muitas vezes essas mulheres não se sentem merecedoras. Ela tenta libertá-las de pensamentos negativos relacionados à gravidez. Diz a elas que deixem Deus cuidar de tudo.

Quando olhei para os rostos das pessoas na plateia, pude ver que, para muitas, aquela era a primeira vez que ouviam esse tipo de informação.

Rosie precisou se sentar. Cobriu o rosto enquanto as lágrimas encharcavam os lencinhos de papel que estava segurando.

Gracie ainda tinha mais coisas a dizer.

– Agora ela está me mostrando mulheres dando à luz. Ela diz que ajuda as pobres mães e os bebês que morrem. Ela os guia para o mundo espiritual e fica com eles até se adaptarem. *Há muito que fazer, muito,* ela diz. *É importante podermos nos expressar do jeito que escolhemos.*

Rosie estava atônita.

– Como é que a senhora está se sentindo? – perguntei.

– Estou realmente atordoada!

– Por quê?

– James, você sabe qual é o meu trabalho? Eu sou uma terapeuta. E sou também parteira!

Dessa vez, fui eu que fiquei atônito.

Houve um enorme zum-zum-zum na plateia. Não era à toa que as duas mulheres eram gêmeas. Ambas tinham escolhido caminhos similares, só que em planos diferentes da existência.

Os pais terrestres podem ficar tranquilos, porque seus filhos são tratados com grande amor e cuidado nas esferas celestiais. Quando chegar o momento da morte dos pais, seus filhos estarão esperando por eles. As crianças podem primeiro aparecer como os pais se recordam delas, mas, por fim, mostram que já cresceram. Uma alma reconhece a outra por causa do profundo vínculo que as conecta. No próximo capítulo explicarei como uma criança se ocupa na dimensão espiritual enquanto espera que um ente querido volte para casa.

três

A VIDA DE UMA CRIANÇA NO MUNDO ESPIRITUAL

Não se preocupe com o que as crianças irão fazer
quando o céu as chamar de volta para casa;
Elas terão tarefas, lições e também brincadeiras;
muito mais do que cabe neste poema.

– Brian Ray

Uma alma nunca para de crescer e evoluir, seja qual for a forma de vida que assumir. Às vezes, a alma precisa passar muitos anos neste planeta para compreender sua natureza espiritual e precisará enfrentar vários desafios para conhecer a plenitude do seu ser. Em outras palavras, ela precisa ficar na Terra apenas um breve período para concluir suas lições e cumprir seu pacto com as almas que pertencem ao seu grupo.

Como Kylie descreveu no capítulo anterior, quando as crianças passam para o mundo espiritual, a alma delas vai direto para um setor de magnífica luminosidade, onde existem prédios, parques, canais gloriosos e ambientes pitorescos. Além de ser um lugar de intenso trabalho e aprendizagem para as almas, ele oferece muito divertimento. Quando as crianças acordam em seu lar celestial, elas experimentam uma forte sensação de familiaridade, porque, assim como todas as almas, elas já morreram e renasceram muitas vezes. Enquanto se restabelecem em seu agradável novo lar e reencontram seus professores, elas recebem ajuda de outras crianças, de seus guias, de membros de sua família e de almas com quem compartilharam inúmeras vidas. Os bondosos e ternos espíritos ajudantes que no primeiro momento as conduziram para a luz permanecem com elas para ajudá-las a atravessar esse período de adaptação.

Considerando que o vínculo entre pais e filhos é talvez o mais forte, é natural que uma criança possa ainda querer estar com seus pais terrestres. Como todas as almas recém-chegadas, as crianças podem ouvir as orações e os pensamentos de seus entes queridos ainda encarnados, e por isso os gritos de dor e tristeza talvez sejam bastante difíceis de serem suportados por elas. Como seus sentidos estão mais apurados, as crianças ficam extremamente vulneráveis à dor insuportável que seus pais terrestres estão sentindo, e isso as puxa em direção ao plano terrestre constantemente. O contraste entre o sofrimento de seus pais terrestres e os belos, felizes e alegres ambientes espirituais onde se encontram pode ser um pouco desorientador.

Esse é o momento em que os guias e as famílias espirituais das crianças precisam agir. Primeiro, eles precisam ajudar essas crianças a se adaptarem ao seu novo lar; depois, é vital que as escoltem de volta à Terra para visitar seus pais. Isso pode parecer insuportável, mas não é. Dentro da alma de uma criança – na verdade, dentro de cada alma – existe a percepção e o conhecimento da sua ilimitada essência. Para que possa apreciar plenamente sua situação, a criança precisa transpor o vão que separa suas novas circunstâncias no mundo espiritual do amor que ela ainda recebe dos que ficaram na Terra. Como qualquer alma que tenta se comunicar com seus entes terrestres queridos, a criança usará vários meios para se conectar, algo que explicarei mais adiante. Basta dizer que muitas vezes vi espíritos ao lado de seus entes queridos tentando em vão confortá-los. Como os pais quase sempre estão vivendo um turbilhão de sentimentos que incluem choque, tristeza e perplexidade, a criança geralmente se sente perdida quando tenta fazer contato. A próxima história mostra como uma criança procura aliviar o sofrimento de seus pais.

A minha casa nova

Bill e Jennie perderam o filho, Max, três anos antes de eu ir à casa de um primo deles para fazer uma sessão. Era claro que ainda não tinham superado a dor da perda. Aquela era a primeira vez que os dois consultavam um médium, e Bill, especialmente, se mostrava bastante cético quanto à minha capacidade de fazer contato com seu filho. Mas isso não durou muito.

– Um menininho de cabelos louros e olhos azuis está me mostrando uma praia – eu lhes disse. – Está usando um calção vermelho. – A visão apareceu com muita rapidez.

– Sim, sim, é isso mesmo. Oh, meu Deus! – Jennie exclamou olhando para Bill, que estava estupefato.

– Seu filho é um bom comunicador. Estou ouvindo os pensamentos dele bastante bem. Posso vê-lo correndo por todos os lugares. Ele está me mostrando você gritando com ele, chamando-o sem parar, e ele correndo na direção oposta!

– Sim, o tempo todo. Ele estava sempre fugindo de mim! – disse Jennie.

Embora surpreso, o casal continuava ansioso. Fiz o máximo que podia para tranquilizá-los. À medida que outras informações chegavam, as dúvidas dos dois começaram a desaparecer.

– Max está me mostrando um calendário.

Jennie e Bill permaneceram em silêncio enquanto eu ouvia Max continuar.

– Vocês foram para a praia na primeira semana de agosto? Ele está dizendo que a irmã dele, Millie, estava junto. – Bill empalideceu de espanto. – Sim, nós fomos de férias para Nantucket.

Bill e Jennie começaram a relaxar. Quando abriram suas energias para o que estava acontecendo, a comunicação com Max simplesmente fluiu e os pensamentos do menino invadiram minha mente.

Expliquei ao casal o que estava acontecendo:

– É como se houvesse um filme passando pela minha mente. Consigo ver tudo o que o Max quer que eu veja. Agora ele está brincando na areia. Posso vê-lo despejar um balde de areia, como se estivesse construindo algum tipo de muro. Ele corre para a beira da água e pega areia molhada. Jennie, você está lhe dizendo para não se afastar.

Naquele momento, levantei a cabeça e vi os pais chorando. Confirmaram que os eventos tinham ocorrido exatamente daquela maneira.

– Max está dizendo que a última coisa que ele ouviu foi Jennie chamando Millie. Estou vendo Millie correndo, e você correndo atrás dela. De repente, uma onda enorme estoura em cima do Max e o arrasta para o fundo!

Bill apertou a mão da esposa e eu parei por um momento.

– Ele lembra que não conseguia respirar e que as pessoas corriam na praia. Bill, eu consigo ver você nadando em direção a ele. Max pergunta por que você não percebeu que era tarde demais. Ele já tinha parado de respirar. O corpo dele bateu numa pedra enorme e ficou flutuando de barriga para baixo. Ele está dizendo: *Eu deveria ter tido mais cuidado. Eu deveria ter ouvido você, mamãe.*

Com os olhos cheios de lágrimas, Jennie me interrompeu:

– O meu filho ficou com medo?

– Não, de maneira alguma. Ele está dizendo que se sentiu puxado para muito acima do seu corpo e que foi invadido por uma sensação de conforto. Está dizendo: *Eu vi uma luz enorme, redonda e dourada, cor de manteiga.* Ao olhar para aquela luz, ele sentiu apenas amor. *Eu só queria entrar na luz,* ele está dizendo. Posso ver três seres se movendo em direção a Max nessa luz. Ele diz que reconheceu dois deles por causa dos retratos que estão em cima da sua cômoda: um deles é um homem sem cabelos.

– Meu avô – Jennie afirmou com um sorriso.

– Vejo uma mulher estendendo o braço e agarrando a mão dele. Ela tem profundos olhos azuis.

– Oh, Deus, a minha mãe! – exclamou Jennie. – Pedi a ela que ajudasse o Max.

Max então me mostrou outra pessoa. Deduzi, pela roupa especial que ela estava vestindo, que devia ser o guia do Max.

– Ele se parece com um capitão de navio, tem cabelos e barba brancos, está usando um terno branco enfeitado com debruns dourados e um chapéu de capitão. Na realidade, ele se parece muito com o Papai Noel. O Max diz que sente amor por esse Capitão Papai Noel.

Bill interrompeu:

– Para onde eles levaram você, filho? Para onde você foi?

Inclinei a cabeça para ouvir os pensamentos de Max.

– Ele está em frente a uma igreja enorme, parecida com uma catedral. *Só que não é uma igreja,* ele está dizendo. *É um lugar onde todos se encontram.* Parece uma sala grande. Agora ele está gritando: *O Charlie está aqui!* Quem é o Charlie?

Jennie riu e os dois responderam juntos:

– O cachorro dele.

– Max está dizendo que as pessoas foram muito gentis com ele. Ele está brincando com o Charlie e com as outras crianças no jardim. E o amigo dele está lá – aquele que foi atropelado.

– Ele está vendo o Tommy Wavier – exclamou Jennie.

Em seguida, o tom da conversa mudou abruptamente. Max começou a citar várias coisas.

– Ele está me mostrando mais alguma coisa. Bill, o seu telefone celular parou de funcionar logo depois da morte do Max?

Bill pensou por alguns instantes.

– Parou, sim. Meu telefone não funcionou no dia seguinte. Liguei para a companhia, mas eles disseram que eu ainda tinha uma conexão.

– Max está dizendo: *Era eu! Era eu!* Vocês viram as luzes acenderem e apagarem no quarto dele?

– Sim! Várias vezes – Jennie respondeu.

– Era o seu filho! Max está dizendo que vem visitá-los com os professores dele, para que vocês saibam que ele está bem. *Não chore, mamãe. Não chore. Fico muito triste quando vejo você chorar.* Ele quer que vocês saibam que ele está vivo e morando num lugar bonito. Max está dizendo: *Eu estou no céu*. Está dizendo também que virá em sonho quando vocês estiverem com a mente aberta, e não tomada pela tristeza. A tristeza cobre como um manto a mente de vocês, e ele não consegue se aproximar.

– Eu compreendo – Jennie respondeu. – Nós sentimos muito a sua falta, Max.

– Bill, ele se lembra da primeira vez que você o levou para andar de barco. Ele diz que adorou. Você comprou um chapéu de marinheiro para ele?

– Era um chapéu de capitão. Ele me disse que tinha tido um chapéu exatamente igual àquele uma vez. Eu não tinha a menor ideia do que ele estava falando e não prestei muita atenção.

– Ele quer que vocês saibam que essa não foi a primeira vez que ele morreu no mar.

Jennie soltou um grito de surpresa.

– Por que ele nos deixou? – Bill quis saber.

– Ele está dizendo que a alma dele já viveu muitas vidas no

mar e que ele é sempre atraído para lá. Ele diz que veio para estar no mar outra vez. Ele não tinha medo do mar. Ele não quer que vocês sintam medo. *Não sintam medo,* ele está dizendo.

Percebi uma sensação de alívio na Jennie e no Bill, e a energia na sala pareceu muito mais leve.

– O que é que ele está fazendo agora? – perguntou Bill.

– Max está dizendo que lá do céu ele toma conta da irmã. Está prometendo: *Vou tomar conta dela.*

Jennie quase começou a chorar.

– Ele está indo para a escola agora.

– O que é que você está estudando? – perguntou Bill.

Max deu uma resposta inesquecível. *Mamíferos marinhos. Quero compreender os padrões de seus pensamentos.*

Essas últimas palavras de Max me fizeram entender que ele era de fato uma alma sábia que tinha evoluído, que era muito mais amadurecido do que um menino de dez anos.

Quando deixei Jennie e Bill, eles pareciam um pouco mais esperançosos. Senti que a bonita energia do filho tinha conseguido restaurar seus corações despedaçados e que eles teriam força para dar os passos necessários para seguir em frente.

As escolas espirituais

Como Max revelou, quando as crianças entram na esfera celestial, elas continuam a estudar. No mundo espiritual, o processo educacional é muito mais abrangente do que na Terra, por ser muito mais criativo. As matérias são planejadas para se adequarem perfeitamente à natureza espiritual, à inteligência, criatividade, interesses e necessidades de cada alma. As escolas não possuem apenas professores que transmitem conhecimentos e ajudam as crianças a se desenvolverem, mas também professores especiais provenientes das esferas espirituais mais elevadas, que ensinam matérias mais avançadas. Esses professores especiais ajudam as almas que planejam tornar-se professores na Terra.

As matérias abarcam todo um leque de possibilidades, desde a criatividade terrestre até conceitos espirituais. Por exemplo, além de aprender sobre os aspectos relacionados à composição musical e à instrumentação, um aluno aprende também como o lado emocional da música pode intensificar a percepção e inspirar a imaginação. O mesmo acontece nas escolas onde as artes de pintar, esculpir, projetar e desenhar são ensinadas. Lá, além de aprender o significado e o valor das cores e das formas, os alunos aprendem a criar da maneira mais estética e harmoniosa possível. Para os interessados em tecnologia, o processo educacional engloba tudo: da engenharia à tecnologia, da matemática à medicina. Os cientistas possuem laboratórios para fazer suas pesquisas. Muitas invenções e muitos conceitos científicos foram criados nessas escolas espirituais e passados para o plano terrestre por telepatia.

Nas escolas espirituais, cada aluno, além de receber os conhecimentos necessários para expandir suas mais altas aspirações, recebe toda a atenção e incentivo para desenvolver suas habilidades e seus dons. As aulas são planejadas para se adequarem ao temperamento e nível de compreensão de cada um. Os alunos examinam situações que propiciam o desenvolvimento de um caráter positivo e de condutas altruístas.

Embora, como eu disse, as almas continuem a estudar assuntos que já tinham visto na Terra, elas podem sempre aprender algo novo e diferente. Em geral, as almas tendem para as suas áreas específicas de interesse e, em cada encarnação, podem avançar nas suas especialidades. Muitas das pessoas que neste momento estão contribuindo para o nosso mundo com atitudes positivas e produtivas provavelmente morreram como crianças em outras vidas. O tempo que elas passaram nas escolas espirituais foi extremamente benéfico para o aperfeiçoamento da alma e para a preparação das suas futuras encarnações na Terra.

As atividades das crianças

Além de irem à escola, as crianças se entretêm com muitas outras atividades, como esportes, jogos e trabalhos manuais. Elas se divertem nadando, andando de bicicleta, fazendo jardinagem, jogando beisebol, esculpindo objetos de madeira, velejando ou fazendo qualquer coisa que desejem. Algumas formam conjuntos musicais, outras ensaiam peças de teatro. Elas vão a festas, assistem a concertos, visitam museus, passam parte do tempo estudando em bibliotecas ou assistindo a palestras. Algumas ainda se tornam membros de organizações semelhantes às dos escoteiros, onde aprendem técnicas de liderança, trabalho em equipe, trabalhos manuais, preservação ambiental e acampamento. Muitas se dedicam a cuidar dos animais. As crianças se entendem facilmente com os bichos, e visitam aqueles que estão precisando de ajuda na Terra.

Uma criança raramente fica sozinha, porque há uma grande variedade de atividades sociais para mantê-la ocupada. Lembre-se de que no mundo espiritual tudo é feito através do pensamento, e por isso as crianças podem simplesmente passar de uma atividade para outra. Os guias estão sempre por perto para ajudá-las a manter um equilíbrio entre a escola e as atividades sociais.

Ajudar as pessoas na Terra é uma das principais atividades das crianças. Elas geralmente viajam em grupo quando retornam à dimensão terrestre. Nunca esquecerei a ocasião em que dois espíritos adolescentes apareceram em uma das minhas demonstrações em Los Angeles. Os dois surgiram ao mesmo tempo perto dos membros de suas famílias que estavam em lados opostos da sala. Explicaram que tinham morrido em acidentes de carro, após terem passado a noite bebendo e consumindo ecstasy. O que tornou essa visita extraordinária foi a vontade que ambos expressaram de ajudar o primo de um deles, que estava na plateia, a parar de beber e entrar para um programa de recuperação.

Durante todos esses anos vi grupos de crianças em volta das pessoas. Lembro-me de ter perguntado a um espírito feminino jovem o motivo de andarem em grupo. A resposta foi simples: *Nossa função é levar felicidade e alegria às almas infelizes e revitalizar a energia que as cerca. Todos nós viemos de famílias em que às vezes nos sentíamos solitários e por isso sabemos o que aquela pessoa está sentindo. Queremos ajudar essas almas a se sentirem melhor.* Achei a explicação muito interessante, e aquela não foi a única vez que a ouvi.

As borboletas estão livres

Eu estava fazendo uma demonstração em Youngstown, Ohio, e era a primeira vez que visitava aquela cidade. Como costumo dizer, as cidades têm características bem distintas e as plateias geralmente refletem essas diferenças. Por isso, achei que seria interessante observar a variedade de circunstâncias em que os espíritos se manifestariam. Durante a primeira metade da sessão transmiti diversos tipos de mensagens vindas de entes queridos: uma mãe que morrera em uma mesa de operação por causa de um procedimento cirúrgico simples que deu errado; um marido que caíra de um telhado enquanto trocava calhas. Sempre me surpreendo com a intensidade de cura e consolo que as mensagens proporcionam à família e a toda a plateia. Vou relatar uma dessas mensagens curadoras.

– Estou aqui com um menino; na realidade, com vários meninos. Ele está me mostrando uma sala de hospital. Agora estou vendo um calendário com o dia 7 de março circundado. Ele está dizendo que morreu no dia do aniversário dele! – Parei e toquei no lado direito da minha barriga. – Ele morreu de apendicite. Isso faz algum sentido para alguém na plateia?

Olhei em volta e vi uma mulher loura se levantar. Uma menina de cerca de dez anos e um menino de 12 se levantaram junto com ela.

– É o meu irmão – disse a menina. A mãe balançou a cabeça afirmativamente.

– Ele está me dizendo que fazia oito anos naquele dia. É isso mesmo?

– É – a mãe respondeu. – Ele tinha comido bolo com sorvete na noite anterior e acordou reclamando de dor na barriga.

– Quem é Tim?

– Esse era o nome dele. Timmy – informou o irmão.

– Ele quer que eu lhes diga que ele encontrou o velho Stebbins.

– Uau! – Os três exclamaram ao mesmo tempo. A seguir, a irmã do Timmy se virou e sussurrou algo no ouvido do irmão.

– Alguma outra coisa? – perguntei.

– Isso é simplesmente incrível, porque, como o Timmy morreu uma semana depois do Sr. Stebbins, nós nos perguntamos se eles teriam se encontrado no céu. Os dois eram muito chegados.

– Timmy está me mostrando borboletas presas a uma almofada e emolduradas como um quadro, parecidas com as que a gente vê em uma sala de aula de ciências.

– Sim, sim! – a mãe de Tim exclamou. – O Sr. Stebbins deu sua coleção de borboletas para o Timmy. Ele costumava contar histórias sobre a guerra do Vietnã para o Timmy. O Sr. Stebbins ficou muito deprimido depois que a esposa morreu.

– Quem é Helen ou Ellen? – perguntei.

– Era a esposa do Sr. Stebbins – respondeu a mãe do Timmy.

Eu podia ver o menino me mostrando uma cerimônia.

– Timmy está me mostrando o que parece ser uma festa de escoteiros. Vocês sabem alguma coisa sobre uma condecoração dos escoteiros?

Toda a família deu um grito de surpresa. Eu podia ver Timmy

colocando o braço em torno dos ombros do irmão, que enxugava uma lágrima.

– Sim. Eu recebi minha medalha de mérito na semana passada.

– Tim está me dizendo que estava lá com você. E que você lhe ensinou a dar nós.

– Sim, é verdade.

– Ele está dizendo: *Obrigado, Tom.* Você se chama Tom?

Ele balançou afirmativamente a cabeça.

A mãe então quis saber:

– Você pode perguntar o que é que ele está fazendo agora? Eu sinto muito a presença do Timmy na nossa casa.

Timmy inundou no mesmo instante minha mente com imagens.

– Ele se ocupa com muitas coisas. Timmy ama a natureza. Está me mostrando um auditório onde ele estuda. Agora está me mostrando borboletas voando e grita, feliz: *Elas estão vivas!*

– Ele gostava muito de insetos – comentou a mãe do Timmy.

Perguntei ao Timmy sobre os outros espíritos das crianças que eu podia ver em volta dele. *Nós estamos numa missão,* ele disse. *Vamos juntos a vários lugares do planeta e levamos pensamentos e sentimentos de alegria e felicidade para ajudar as pessoas a se sentirem bem.*

– Isso é incrível – a irmã do Timmy comentou –, porque algumas semanas antes de ele morrer nós estávamos conversando, e ele me mostrou seu atlas geográfico, dizendo que iria a todos aqueles lugares. Achei que ele estava delirando.

– O seu irmão é uma alma evoluída, como a maioria das crianças que morrem.

– É verdade – murmurou a mãe.

– Ele está dizendo que você tem uma coisa dele na sua bolsa. *Abra a bolsa, mamãe,* é o que ele diz.

A mulher pegou a bolsa embaixo da cadeira. Quando a abriu, uma coisa saiu voando. Parecia uma borboleta, mas podia ter sido uma mariposa.

As pessoas que estavam perto gritaram espantadas.

– Isso é apenas o Timmy mostrando que está aqui – eu disse. – Ele é bem engraçadinho, não é?

A revisão de vida e o Conselho de Anciãos

Ao chegar ao outro lado da vida, uma alma – seja a de uma criança, de um adolescente ou de um adulto – se encontra com o que é comumente chamado de Conselho de Anciãos. São seres – guias evoluídos e mestres – que compreendem as características, os desejos e os dons de uma alma. Mesmo que as crianças não tenham passado muito tempo na Terra, o Conselho revê com elas os dias de suas experiências terrestres. Os bebês e as crianças bem pequenas ficam em creches e se encontram com o Conselho para rever e preparar seus próximos períodos de vida. Falarei mais sobre isso quando tratarmos dos preparativos para o retorno.

É muito importante lembrar que, embora a personalidade mais recente da alma tenha sido a de uma criança, essa alma já participou de muitas vidas anteriores. De modo geral, apenas uma alma evoluída usa a breve vida de uma criança para o seu crescimento. O que importa é que, nessa vinda essencial e planejada, a alma tenha conseguido atender às suas próprias necessidades especiais e as de seu grupo de almas. Nesse encontro com o Conselho, a alma avalia suas experiências e seus progressos recentes. O objetivo é analisar a sua vida. Ela fez aquilo que tinha se proposto fazer? Terá cumprido seu contrato de alma? Um contrato de alma e um pacto de alma são coisas semelhantes. O que os distingue é o fato de um contrato de alma envolver um número menor de almas – duas ou talvez três – e de ser um acordo mais fechado. Assim como acontece com um pacto entre almas, todas elas precisam consentir em participar. Terá a alma aprendido suas lições sobre valores e amor, ou precisará ser retestada em outro período de vida? A revisão é metódica

– não há pressa porque, no mundo espiritual, o tempo não existe.

Quando a vida de uma criança está sendo avaliada, sempre se leva em consideração o fato de ela ter menos oportunidades para viver suas experiências e ainda não possuir uma personalidade formada. Mesmo assim, alguns espíritos precisam passar pela experiência do nascimento para propiciar às outras almas as vivências necessárias para o crescimento delas. O Conselho também leva em consideração os serviços prestados pela alma. Terá ela proporcionado as oportunidades necessárias para outras almas serem úteis? Terá ela também aprendido nessas oportunidades?

Como tive formação católica, aprendi que haveria um Dia do Juízo Final, quando seria decidido se eu iria para o céu ou para o inferno. Abandonei essas crenças ainda jovem e através do meu trabalho passei a compreender o significado do julgamento e revisão de vida. A revisão de uma vida é um processo educativo e esclarecedor. O único julgamento é aquele que nós mesmos fazemos, mas, como estamos na luz do céu, esse julgamento é amenizado pela graça.

A revisão de uma vida ocorre de várias maneiras: algumas almas veem sua vida passar como se fosse um filme; outras presenciam as cenas vividas como episódios de televisão; algumas, como imagens em três dimensões ou hologramas; outras já conseguem ver sua vida inteira em uma grande visão panorâmica; algumas contam que as cenas passam rapidamente, outras dizem que elas param e recomeçam, e ainda outras afirmam que conseguem ver certos eventos com mais nitidez. Quando revemos nossa vida, não conseguimos mentir para nós mesmos. Mas a revisão de uma vida não tem nada a ver com culpa ou castigo. Os erros que cometemos são as ferramentas por meio das quais aprendemos sobre autoestima e amor-próprio. Para a nossa evolução, o menor ato de bondade e altruísmo é muito mais importante do que a obtenção de prêmios, bens materiais ou dinheiro. Na realidade, os bens terrestres não têm qualquer importância na revisão de uma vida.

No mundo espiritual, nada permanece escondido. Todos os pensamentos, palavras e ações são expostos juntamente com os motivos e as intenções por trás deles. Se tivermos sido cruéis ou prejudicado alguém, sentiremos nossa própria crueldade. Se desperdiçamos oportunidades por arrogância e orgulho, sentiremos nossa própria autodestruição. Até mesmo a maneira como tratamos animais e plantas será exposta. Nada passa despercebido durante a revisão de uma vida. Para algumas almas, pode parecer um inferno, mas, para a maioria dos que viveram de forma benéfica, generosa e honesta, essa revisão é recompensadora. No ciclo da vida, estamos sempre onde devemos estar. Como seres humanos, esquecemos nossas heranças espirituais, mas nossa alma nunca as esquece.

Estou finalmente em paz

Considero a revisão de vida que vou contar muito interessante, principalmente por causa das circunstâncias relacionadas à morte humana. Lembro-me de que estava me sentindo um pouco cansado após acabar a minha meditação no camarim do teatro onde me apresentava. Eu já havia transmitido várias mensagens durante a primeira hora da sessão e estava tentando me preparar para a segunda metade da noite, porque provavelmente haveria mais uma hora de transmissão de mensagens. Enquanto contemplava o cronograma, minha mente foi invadida pelo pensamento de um homem muito jovem chamado Teddy. Como ele não parava de repetir seu nome, eu o escrevi em um pedaço de papel para não esquecer. Quando perguntei como fora sua morte, ele me mostrou uma corda. E continuou dizendo: *Por favor, é importante que o senhor fale para as pessoas sobre a minha morte. Isso ajudará não apenas a elas, mas a mim também. Por favor!* Respondi mentalmente: "Tudo bem, eu o ajudarei assim que a sessão começar."

Alguns minutos depois, eu estava de volta ao palco, esfregando as mãos e me preparando para integrar a mente com o mundo espiritual. Então pedi ao jovem que se apresentasse. Como podia ver inúmeros espíritos ao meu redor competindo pela minha atenção, pedi aos meus guias para resolver aquela situação e deixar o Teddy vir primeiro. Ele ficou na minha frente e colocou uma corda em volta do pescoço.

– Tenho aqui um homem muito jovem. Ele se chama Teddy e tem cerca de 18 ou 19 anos. Ele se enforcou, aparentemente em algum tipo de escada de emergência. É magro e usa óculos.

De repente, ouvi gritos vindos de um casal na plateia:

– Oh, é nosso filho!

Olhei em direção às vozes e um dos ajudantes correu para a mulher e lhe entregou um microfone.

– É o meu menino, Teddy. – O casal levantou-se, tremendo. A senhora tirou uma fotografia da bolsa. O rapaz na foto de fato se parecia com o espírito que estava diante de mim.

– Ele está me dizendo que zombavam muito dele, que o perseguiam.

– Quem é o Kenny? – perguntei.

Os pais gaguejaram ao responder:

– É o rapaz que deu uma surra nele.

– O Teddy está me mostrando uma tela de computador. Vocês sabem alguma coisa sobre o Kenny e os e-mails?

A mãe começou a chorar, e o pai respondeu:

– Sim. O Kenny escreveu e-mails horríveis para o Teddy, com cópia para todo mundo na escola. Ele acusou nosso menino de ter dado em cima dele.

Fiquei chocado e perturbado, pensando em quão horrível era aquele ato. Eu não podia deixar de sentir pena de Teddy. Disse-lhe isso em pensamento. Ele era um jovem muito decente, o que tornava sua morte ainda mais terrível.

– Ele está me pedindo para dizer os nomes Ed e Darla.

– São os nossos nomes – disse o pai.

– Ele queria ser professor? Não paro de vê-lo ensinando os outros, vestindo um jaleco branco.

– Sim. Ele queria se formar em química e ensinar em uma faculdade – Ed respondeu.

A seguir, Teddy encheu minha cabeça com uma imagem incrível que compartilhei com a plateia.

– Seu filho está sentado em uma sala de reuniões ou de conferências. A impressão que tenho é de que ele está conversando com membros da faculdade e me dizendo que são os seus guias. Conversam sobre o plano de vida dele. Teddy está dizendo que, embora vocês possam não compreender isso, havia um propósito na morte dele. A alma vai e volta por muitos motivos. Às vezes morremos jovens, às vezes, velhos. Alguns partem devido a doenças, acidentes e causas naturais, outros se suicidam. Seu filho está me dizendo que no lugar onde se encontra agora só recebeu amor e que todos nós nascemos para a felicidade de alguém. Ele não culpa ninguém pela morte dele. Ela fazia parte do seu plano de alma. Teddy está me dizendo que já tinha sido ridicularizado em vidas anteriores e que ele sempre permitia que isso o derrubasse. Durante a revisão de vida, ele pôde rememorar as ocasiões em que teve oportunidade de amar a si mesmo e de mudar o padrão usual de sua alma, mas não o fez.

Um silêncio profundo reinava no auditório.

– Mas ele era um bom menino – afirmou Darla.

Naquele instante surgiu em minha mente uma imagem bem nítida. Olhei para os pais de Teddy e perguntei:

– Ele participou de alguma competição no ensino médio?

– Sim – respondeu Darla. – E venceu a competição! Ele foi o campeão das cinco divisões!

– Ele está me dizendo que ganhou muitas medalhas e troféus por diversas coisas.

Os pais balançaram a cabeça afirmativamente.

– Essas vitórias foram oportunidades para ele reconhecer suas habilidades, mas ele não conseguia ver o seu próprio valor.

Os olhos dos pais estavam cheios de lágrimas.

– Ele quer que eu lhes diga que não foi punido por ter-se matado, que não foi para o inferno. Ele precisa aprender a lidar com essa característica de sua alma. Ele terá outra oportunidade para aprender a ter autoestima. Teddy está dizendo: *Os meus guias estão me ajudando.*

– Nós amamos você, filho. Você sempre será um campeão para nós! – declarou o pai de Teddy.

– Ele quer agradecer a vocês por terem compartilhado a vida com ele. Teddy agradece pelo apoio e pelo amor, que foram extremamente importantes. Está me dizendo que o amor de vocês é o que o fazia se sentir bem em relação a si mesmo. Ele só conseguiu ver isso depois de deixar esta vida e alcançar a luz. *Obrigado, obrigado,* ele está dizendo.

Comecei a chorar também. Enviei meu amor para Teddy e lhe agradeci por todas as pessoas que ele tinha ajudado com sua mensagem.

Todas as almas têm um plano, embora isso possa não fazer muito sentido para os nossos limitados modos de pensar. Por outro lado, já que não existe "morte" e voltamos para ter experiências de alma, é compreensível que uma alma experimente muitos ambientes e diversas circunstâncias para demonstrar amor, compaixão, solidariedade e boa vontade. São muitos os motivos pelos quais escolhemos viver e morrer, e todos visam ao nosso crescimento espiritual e ao crescimento das muitas almas com quem compartilhamos a vida. A breve vida de uma alma na Terra pode apenas acelerar o seu crescimento. Como você aprenderá na Segunda Parte, o ponto em que estamos na nossa evolução espiritual é totalmente irrelevante. Nós estamos onde devemos estar.

SEGUNDA PARTE

A natureza da alma

quatro

A ALMA

... a alma existe há séculos, ascendendo através de inúmeras formas, de um patamar mais baixo para um mais alto – sempre progredindo, sempre desabrochando.

– Yogi Ramacharaka

Na amplitude de sua existência, a essência do ser viaja e agrega experiências que envolvem toda espécie de emoções humanas, situações, nacionalidades, raças, gêneros e tipos de morte e nascimento. Essa essência indefinível que viaja pelo tempo é um vasto repertório de possibilidades e conhecimento ilimitado preservados em um conjunto de lembranças que fica guardado em nosso âmago. O que é exatamente essa essência, essa pérola de grande valor? É a nossa alma.

Durante todos estes anos recebi do mundo espiritual muitas mensagens que descreviam a natureza da alma. As descrições variavam entre ser a alma o núcleo do nosso ser, o poder dentro dele e a essência da liberdade. Cientistas, metafísicos e psicólogos já se referiram à alma como uma "superconsciência". Eu a vejo como a fonte de toda a energia inteligente em que reside o nosso verdadeiro eu. Apenas um fino véu de amnésia humana oculta a nossa própria verdade de nós mesmos.

A alma existe em muitos níveis diferentes da consciência. Ela pode estar presente no plano físico e coexistir simultaneamente em outra dimensão. A alma não é humana; portanto, não possui química humana. No entanto ela é caracterizada por um acúmulo de vidas humanas. A alma está sempre evoluindo, crescendo e se expandindo de acordo com as escolhas que fazemos ao nos depararmos com certas situações.

Alma e espírito são coisas diferentes. São conceitos claramente distintos. O espírito é a contrapartida etérea do corpo físico – nosso corpo etéreo –, enquanto a alma abrange toda a nossa essência. O poder espiritual emana da alma. Quando temos "consciência da alma", transpomos as impressões dos cinco sentidos e conhecemos a verdadeira autoestima. Por conseguinte, descobrimos o "poder da nossa alma". Este poder confere inspiração, beleza, paz, alegria e harmonia a todos os momentos da vida.

Quando comecei a me desenvolver como médium, pedi ao mundo espiritual que me mostrasse uma alma. A resposta veio quase que inesperadamente, como um raio de luz. Uma noite, ao pisar em um palco esperando ver a costumeira imagem de auras quando olhasse para a plateia, tive uma agradável surpresa: o mundo espiritual me permitiu ver cada pessoa da plateia a partir de seu nível específico de alma. Acima da cabeça de cada um havia um matiz de cor de efervescência sobrenatural que percebi ser a alma do indivíduo. Era uma visão muito diferente das auras que eu estava acostumado a ver, e eu a descrevo simplesmente como um mar de diamantes. Tal como diamantes, algumas almas brilhavam muito, enquanto outras eram um pouco carentes de brilho. Essa falta de brilho só podia ter como origem os medos e as limitações que as pessoas impõem a si mesmas a partir de crenças errôneas.

Para me certificar de que o mundo espiritual tinha me dado esse vislumbre da alma, fiz um teste com a plateia. Guiei as pessoas através de uma meditação, pedindo-lhes que tomassem contato com a inspiradora e dinâmica alma que havia em cada uma delas. Esperei para ver se haveria alguma mudança nos diamantes, e foi fantástico testemunhar a diferença ocorrida entre o início e o fim da meditação. No final, as almas, ou os diamantes, além de brilharem mais, pareciam ter-se expandido para fora da sala. As cores se amalgamaram e melhoraram toda a atmosfera. Uma pessoa que entrasse na sala naquele momento não poderia deixar de sentir a intensa serenidade, o grande amor e a imensa energia presente em todo o ambiente.

A personalidade da alma

Embora estejamos todos conectados uns aos outros e ao mundo espiritual, temos personalidades distintas que foram remodeladas, reprojetadas e aperfeiçoadas através de inúmeras vidas no plano terrestre. Essa personalidade exclusiva tende a atrair as coisas de que gosta para si e a repelir ou rejeitar situações que não lhe interessam. Essas características específicas da personalidade de cada alma são importantes porque são elas que fazem com que certas circunstâncias ocorram. A personalidade aprende e amadurece enquanto acumula experiências. Para compreendermos nossa alma, precisamos desvendar essa personalidade e apreciar o belo mosaico que faz com que cada um de nós seja do jeito que é.

Embora alma signifique consciência, essa consciência é algo muito mais abrangente do que o cérebro humano é capaz de imaginar. Assim como uma impressão digital humana, a alma tem uma identidade única que é formada por cor, luz e vibração eletromagnética. A alma é muito versátil e pode viver em formas humanas ou alienígenas, no planeta Terra ou em outras galáxias, e assumir a forma que desejar. As personalidades da alma podem expressar humor, inteligência, perseverança e calma, entre outras tantas características.

Uma alma que encarna na forma humana escolhe um determinado corpo físico por razões relacionadas a seu padrão e crescimento. Ela escolhe ter um corpo com determinadas características que lhe permitirão fazer aquilo que precisa para aprender sobre todos os aspectos da moral e do comportamento na experiência humana. Algumas almas precisam de toda a sua vibração e energia ao entrar na dimensão da Terra. Por exemplo, um médico de um país do Terceiro Mundo pode precisar trazer toda a vibração de sua alma para a Terra a fim de lidar com situações difíceis e perigosas. Pessoas com o dom de cura e outros salvadores do planeta geralmente trazem toda a energia de sua alma para cumprir com humanidade as tarefas que lhes cabem. Algumas almas podem precisar de apenas uma porção de sua energia porque aquele determinado período de vida não será muito complicado ou intenso. A alma escolhe o corpo perfeito para alcançar seus objetivos. Essa ideia pode ser muito tranquilizadora para nós – saber que nosso corpo é perfeitamente adequado para nossa alma.

A fragmentação da alma

A alma tem um instinto inato para se proteger. Quando ocorrem traumas, violências ou perigos ameaçadores, um fragmento ou uma parte da alma pode deixar o corpo físico e retornar à origem de tudo. Essa divisão é chamada de "fragmentação da alma". A parte que vai embora é, às vezes, chamada de "a ferida que nunca cicatriza". É essa parte ausente que muitas pessoas procuram para se sentirem inteiras outra vez. A fragmentação da alma pode ocorrer em circunstâncias físicas ou emocionais, como acidentes, cirurgias, torturas, estresse, estupro, tentativas de suicídio, choques, divórcios ou situações de guerra. Uma fragmentação da alma também pode se dar quando vivemos situações em que não conseguimos perdoar uma pessoa, ou desejamos que as coisas sejam diferentes do que são e não temos como mudá-las. Nessas circunstâncias, nos sentimos impedidos de prosseguir e por isso deixamos uma parte da energia da nossa alma naquela situação. Sempre que uma parte da nossa alma é deixada para trás em uma circunstância qualquer, sentimos essa separação, embora a nossa consciência não consiga compreender o motivo. Os sintomas da fragmentação da alma podem abranger sentimentos de vazio, depressão, insônia, isolamento ou ansiedade. Às vezes, os fragmentos retornam à alma, mas existe a possibilidade de isso nunca mais acontecer.

Padrão de alma

Como almas encarnadas em corpos humanos, desenvolvemos certos padrões mentais e emocionais e trazemos para cada encarnação experiências, comportamentos e decisões relacionados a outras vidas. Esses padrões podem estar tão enraizados dentro de nós que, se a alma não tiver uma forte percepção de si mesma, ela poderá voltar a desenvolver os mesmos maus hábitos. Muitas vezes, almas que foram dominadas por certos padrões de comportamento que se manifestaram repetidamente em outras encarnações vivenciarão situações semelhantes para se testarem e mudarem o padrão. Frequentemente, o padrão a ser mudado tem uma natureza negativa ou destrutiva, como os sentimentos de abandono, mágoa, ressentimento, raiva ou insatisfação.

Por exemplo, uma alma que queira aprender a ser humilde, para superar vidas anteriores de arrogância e orgulho, pode se colocar em situações que envolvam poder e riqueza. Embora tenha vindo para a Terra a fim de eliminar um determinado padrão, a alma, por ter livre-arbítrio, poderá se desviar ou se desencaminhar, permitindo assim que aquele padrão se repita. Quando a alma retorna para o mundo espiritual, ela revisa o padrão com seus guias e obtém a ajuda necessária para fortalecer sua energia e, dessa maneira, tentar eliminar aquele padrão negativo em outra vida.

Muitas vezes me perguntam sobre almas que praticam o mal enquanto estão na Terra. As almas que prejudicam outros seres vivos não são muito evoluídas. Depois de criado, o padrão de malignidade pode se tornar uma obsessão destrutiva que se repete sucessivamente em várias vidas. Uma alma pode querer superar seu padrão destrutivo, mas não ter energia suficiente para fazê-lo. Por essa razão, ela continua a cair em vidas cheias de negatividade e comportamentos nocivos. Essas almas podem ficar extremamente danificadas – nesses casos, mestres curadores especiais são chamados para reformar e recompor toda a energia danificada. Essas almas são mantidas isoladas no mundo espiritual até sua restauração ser concluída.

Quebrando o padrão da alma

A sessão que vou descrever traz uma situação em que um padrão é repetido. Lembro-me muito bem daquela noite. Antes de o evento começar, enquanto eu meditava no camarim, de repente um jovem de 16 anos chamado Josh se manifestou na minha frente. Ele parecia determinado e bastante aflito. Na minha cabeça, ouvi: *Preciso enviar uma mensagem para a minha irmã.* Eu podia sentir o desespero daquele jovem. Ele disse que tinha arruinado a própria vida e que, se conseguisse enviar uma mensagem para a irmã, estaria fazendo a única coisa positiva para ajudar os dois ao mesmo tempo.

Quando comecei a transmitir as mensagens que ia recebendo, mentalmente pedi ao Josh que amalgamasse os pensamentos dele com os meus. Ele apareceu à minha direita e puxou minha energia para o fundo da sala.

– Tenho aqui um jovem de cerca de 16 anos que está desesperado para falar com a irmã dele. – Apontei para o lado direito. – Ela está sentada nessa parte do auditório.

De repente, uma jovem com uma faixa cor-de-rosa nos cabelos escuros levantou-se da cadeira e disse bem alto:

– É o meu irmão Josh.

– Obrigado – eu sorri. A seguir, Josh começou a imprimir a cena de sua morte na minha mente. – Ele está me mostrando uma agulha hipodérmica. Vejo Josh esparramado no banco da frente de um carro. Ele está dizendo que você estava ao lado dos paramédicos quando eles tiraram o corpo dele do carro. Você compreende?

– Oh, meu Deus! – exclamou a jovem em um tom de desespero. – Sim, foi isso mesmo. Aquele era o carro que eu tinha comprado para ele. Eu não devia ter dado aquele carro para Josh. Eu sabia que não ia dar certo. Se eu não tivesse feito isso, meu irmão poderia estar vivo ainda! Sinto muito, Josh.

– Seu irmão está dizendo: *A culpa não é sua.* Ele afirma que a culpa foi dele, que você comprou o carro para ele por amor. Você precisa compreender que a intenção por trás do seu ato era de amor. Este é o maior dom que uma pessoa pode consagrar a outra.

Ela balançou a cabeça afirmativamente.

– Sim, eu sei. – Lágrimas corriam pelo seu rosto. – Eu tinha de tomar conta dele.

A seguir, Josh fez uma coisa que poucas vezes eu vivenciei durante todos esses anos de trabalho. A melhor maneira de descrever o que aconteceu é simplesmente dizer que ele me levou para ver a jornada de sua alma, que eu vivenciei na minha mente.

Presenciei e senti coisas como se fosse ele. Entrei em um transe leve enquanto descrevia a minha experiência para a plateia.

– Estou sentado em um bonito prédio de mármore. Sinto muita calma ao meu redor, muita ternura e serenidade. Diante de mim vejo três seres usando vestes coloridas. Todos possuem um grau de conhecimento, como se soubessem quem o Josh é e quem ele sempre foi. Posso apenas descrevê-los como mestres. Ao olhar nos olhos deles, vejo imediatamente a vida que o Josh viveu e quem ele era como alma. Estou ouvindo o Josh dizer: *Sei que vivi muitas vidas de maneira leviana e irresponsável. Eu não respeitava a vida. Não queria participar da vida. Sempre me aproveitava das pessoas, principalmente das mais chegadas. Era assim que eu escapava das minhas obrigações e de assumir responsabilidade por minhas ações. Dessa forma, eu podia sempre jogar a culpa em alguém se algo desse errado. Eu me senti revoltado e indesejado em muitas vidas e sempre encontrei uma maneira de escapar.* Os mestres estão me mostrando várias vidas – uma na Itália, uma na África e a última vida de Josh em Nova Orleans. Ele tentou superar esse padrão de autodestruição e irresponsabilidade em cada uma delas. Ele está dizendo: *Eu tentei aprender a amar a pessoa que eu era.*

Ao sair do transe, olhei diretamente para a irmã do Josh e disse:

– Em todas essas vidas eu não vi pais, mas vi a sua energia – uma vez como irmão gêmeo dele, em outra como tio e em uma terceira como filha. Ele está dizendo: *Você sempre tentou me salvar de mim mesmo.* Vocês dois decidiram voltar juntos para um poder ensinar ao outro – o seu irmão para aprender a ser responsável e você para aprender a não assumir os problemas dele. Você precisa deixar de se sentir culpada. Esse é o seu padrão.

De repente, Josh começou a me mostrar várias cenas de morte de suas vidas anteriores.

– Esse jovem está me mostrando suas vidas problemáticas. Em uma, ele sangrou até a morte numa sarjeta. Em outra, bebeu até morrer. Ele também sucumbiu numa sala para fumantes de ópio na China, dois séculos atrás.

Eu disse à irmã dele:

– Você era amante dele naquela vida e também não conseguiu salvá-lo.

A irmã de Josh começou a se acalmar.

– Nesta última vida, ele morreu de overdose. Você consegue ver o padrão dele?

Ela balançou afirmativamente a cabeça.

– Ele diz que está se esforçando para quebrar esse padrão. Ele quer agradecer a você por ter sempre estado ao lado dele, por ter tomado conta dele nessas vidas. Ele a estará orientando lá do céu.

– Obrigada – disse ela.

No momento em que a plateia começou a aplaudir, Josh me enviou um pensamento de gratidão. Eu sei que aquele ato de amor dele por sua irmã era o passo que ele precisava dar para deixar de se sentir indigno. Ele estava a caminho de quebrar um padrão de alma que já tinha durado muito tempo. Eu sabia também que os guias de Josh estavam ajudando a reintegrar a energia da alma dele para torná-la um todo. Ele deixou o auditório envolto em uma luz cintilante.

Grupos de almas, famílias de almas e almas consortes

Como mostra a história de Josh, nossas almas já viveram em muitos lugares, muitas épocas e muitas situações com as mesmas pessoas. Chamamos de grupo de almas essa comunidade de almas que passam juntas por inúmeras vidas. Esse grupo é composto por almas que compartilham a mesma frequência eletromagnética. Como diz o ditado: "Cada ovelha com a sua parelha." Um grupo de almas trabalha em um determinado tema para alcançar uma evolução espiritual. Um exemplo perfeito é o das almas que estão hoje reunidas na Terra para inventar novas tecnologias. Muitas delas já estiveram juntas antes – talvez em planos de existência ou sistemas estelares diferentes – e vieram para este específico período da história com o objetivo de acelerar o conhecimento científico. Há também aquelas que estão voltadas para a cura e o aperfeiçoamento pessoal. Como as almas são agrupadas por seus níveis de evolução espiritual e de objetivos, elas podem participar de um mesmo período de vida ou de vários, tanto no plano terrestre quanto nos planos espirituais, procurando alcançar uma determinada meta.

Os grupos de almas se dividem em subgrupos menores conhecidos como famílias de almas. Em uma família de almas, as pessoas se ajudam mais intimamente com várias lições, que têm como base ações prévias em conexões passadas, a necessidade de fazer uma alma evoluir espiritualmente, ou ambas as coisas. Uma família de almas é formada por aqueles que interagem diariamente – pais, filhos, melhores amigos, colegas de trabalho, cônjuges e até mesmo nossos antagonistas. Essas almas podem participar das nossas vidas por um breve período de tempo ou permanecer conosco durante todo o correr de nossas existências.

Enquanto escrevo, está em andamento o resgate de 33 mineiros no Chile. Que ótimo exemplo de família de espíritos e de grupo de almas! Presos a 800 metros de profundidade, esses homens conseguiram sobreviver em condições inimagináveis por cerca de dois meses. Enquanto viviam aquela situação extrema, pessoas que eles não conheciam, mas que faziam parte de seu grupo de almas, foram ajudá-los, elaborando um plano para salvá-los. Os 33 mineiros levaram para o mundo uma poderosa mensagem de paciência, apoio mútuo e confiança. Esse evento não foi um puro acidente, mas um despertar espiritual para o planeta. Aconteceram ao mesmo tempo tantas coisas em diversos níveis e dimensões, que tenho certeza de que os efeitos positivos de longo alcance só ficarão mais claros com o passar do tempo.

As nossas almas consortes fazem parte da nossa família de almas. Acredito que cada um de nós tem muitas almas consortes, e não apenas uma, e que elas já compartilharam relacionamentos especiais conosco em várias encarnações. As almas consortes geralmente sentem uma forte atração quando se encontram. Há uma sensação de familiaridade imediatamente reconhecível. Elas compartilham uma memória de alma e têm valores, interesses, gostos e aversões similares. Em geral, unem forças para influenciar e ajudar uma pessoa, ou lhe ensinar uma importante lição de alma – talvez uma lição que ela venha tentando aprender há muitas vidas e que tenha chegado a um momento decisivo. As almas consortes podem também nos causar sofrimentos e problemas, porque concordaram em assumir papéis de antagonistas para podermos crescer na autoestima. Lembre-se também de que, após partirem desse período de vida, as almas consortes continuarão a trabalhar com você nos planos espirituais.

Ao encerrarem o trabalho que se propuseram fazer – e isso pode levar muitos séculos e centenas de vidas –, o grupo de almas se dispersa e seus membros podem formar novos grupos para alcançar um novo objetivo. Se alguns membros daquele grupo já tiverem adquirido um elevado nível de conhecimento, eles poderão ir para planos espirituais mais elevados, onde continuarão a aprender e a crescer.

O presente de Ellie

A sessão seguinte mostra como as famílias de espíritos e as almas consortes sempre se ajudam. Em janeiro de 2009, enquanto fazia um tour para divulgar meu último livro, *Assuntos pendentes*, participei do show de rádio *Beth and Bill* em Phoenix. Um dos ouvintes era um jovem marido chamado Frank. Ele nunca ouvira falar a meu respeito e não acreditava em videntes ou médiuns. No entanto, como tinha perdido sua filhinha há pouco tempo, e sabia da minha reputação, ele quis me conhecer. Frank foi à minha noite de autógrafos com sua esposa, Taunya, e eu os convidei para comparecer ao meu círculo espírita em Laguna Beach.

No mês seguinte eles foram ao círculo espírita e se sentaram na primeira fila. Como a maioria dos iniciantes, estavam nervosos e inseguros. Mas eu sabia que o evento provavelmente mudaria a vida deles para sempre e que era minha tarefa fazer o possível para ajudá-los a encontrar a filha. Embora aquele tenha sido um evento extraordinário, a sessão mostrou, de maneira muito simples, o que acontece quando famílias espirituais se reconectam.

– Está aqui uma menininha muito bonita de cerca de quatro anos – eu disse olhando para o casal. – Estou vendo um L maiúsculo, ou EL, ou...

– Ellie – interrompeu Taunya. – O nome dela é Ellie.

Eu sorri.

– Agora, ela está me mostrando uma mulher mais velha. Esta mulher a levou para o mundo espiritual. É a avó dela?

O casal concordou.

– Ela era muito ligada à minha mãe – disse Frank.

– Agora ela está me mostrando a causa da morte dela. Estou vendo um homem, e ele está bêbado. Chama-se Charles.

Houve uma nítida mudança no semblante de Frank e de Taunya.

– Ela morreu num acidente de carro – disse Taunya. – O veículo veio desgovernado em nossa direção. O motorista estava bêbado e bateu no nosso carro. Ellie estava no banco de trás. Eu desmaiei.

A plateia ficou em silêncio absoluto.

– Ela não sentiu dor – continuei. – Ela deixou seu corpo antes de o carro bater.

Frank e Taunya se deram as mãos enquanto reviviam mentalmente aquela trágica cena.

– Ela morreu poucos dias antes de completar quatro anos – continuei.

O casal balançou a cabeça afirmativamente.

– Ela está me mostrando um urso de pelúcia grande em cima da cama.

– Sim – disse Taunya. – Foi presente de um grande amigo da família.

– Agora vejo um jardim muito florido: há flores por todo canto. Há uma borboleta no jardim. Ellie ama borboletas.

– Nós temos um jardim lindo em Phoenix, e, apesar do clima seco, tudo parece crescer bem lá. Nosso filho de oito anos colocou no jardim uma flâmula com a imagem de uma borboleta em memória da Ellie.

Algumas pessoas na sala começaram a chorar.

– Agora estou vendo a Ellie usando um vestido de baile. Eu não compreendo. Ela não tem idade para usar um vestido desses, mas o fato é que está usando.

– Ela foi dama de honra no casamento da minha irmã.

Ouviram-se algumas exclamações na sala.

– Eu compreendo. Ela adorava aquele vestido porque se sentia adulta nele – comentei.

– Nós temos muitas fotografias da Ellie naquele vestido – acrescentou Taunya. – Ela foi cremada com ele.

Ouvi novas exclamações de surpresa na plateia.

– Preciso lhe dizer, Frank, que estou vendo muitos números em volta da sua cabeça. Montes de números.

– Eu sou contador – ele respondeu com um sorriso.

– A sua filha está brincando com um cachorrinho. Ela ficou muito feliz quando ganhou o cachorrinho.

– Nós demos um golden retriever para ela no Natal – respondeu Taunya. – Ela a chamou de Duquesa. As duas eram muito chegadas.

– Ela ainda brinca com seu bichinho de estimação – informei – de lá do outro lado.

– Oh, meu Deus – exclamou Taunya. – É por isso que a Duquesa está sempre trazendo as coisas dela para nós – primeiro uma meia, depois a boneca.

– É a forma que sua filha tem de mostrar que está perto de vocês. Ela tinha um colar com um pingente?

– Sim, nós o compramos para ela.

– Estou vendo moedinhas em todos os lugares. A sua filha está me mostrando essas moedinhas.

Taunya ficou surpresa.

– Este é o meu segredo, nem mesmo o Frank sabe disso. Eu guardo moedinhas. Oh, meu Deus. Como é que você poderia saber disso?

– A sua filha está mostrando para mim. Ela diz: *Moedinhas do céu.*

Os olhos de Taunya se encheram de lágrimas. Eu prossegui:

– Agora ela está me mostrando um presente grande, com um laço enorme. Isso não tem nada a ver com a morte dela. Ellie está me dizendo que tem a ver com vida. *Aceite-o, mamãe* – ela está pedindo.

Taunya estava chorando.

– Eu engravidei depois que ela morreu, mas no início não queria ter o bebê.

– A sua filha está lhe perguntando: *Por que você não quer o bebê, mamãe?* Ela está dizendo que o bebê era o presente dela para você. Ela queria que você tivesse o bebê e está dizendo para você aceitá-lo. É um presente dela.

– Nós demos ao bebê o nome de Maxwell Zane. Zane significa presente de Deus – explicou Taunya.

– Veja. A sua filha está ajudando vocês de lá do outro lado. Ela faz parte da sua família de almas. Vocês estão todos no mesmo grupo.

Esperei para ouvir qualquer outra coisa que Ellie quisesse acrescentar.

– Ela está me dizendo que ajudou outra menina a fazer a travessia. Acho que essa menina era alguém que vocês conheciam. Ela está dizendo que era uma amiga. – Olhei para o Frank. – Ela está se referindo a você, Frank.

– Será que foi a filhinha do meu amigo? Meu amigo também perdeu a filha, e eu fiquei muito chocado.

– É isso. A Ellie a ajudou a entrar na luz.

Taunya e Frank permaneceram sentados, perplexos. Eu sabia que as mensagens da Ellie os tinham curado em muitos níveis.

Conversei com Taunya e com Frank antes de escrever sobre a história deles. Os dois ficaram profundamente agradecidos por terem sabido que Ellie estava bem e que estava se desenvolvendo em seu lar celestial. Como é muito frequente nesses casos, foi Ellie que os ajudou.

Níveis de almas

Além de pertencer a grupos e a famílias de almas, cada alma tem uma meta selecionada e baseada em seu nível de conhecimento, compreensão e percepção. Há muitos níveis de competência espiritual, mas é importante compreender os primeiros quatro níveis básicos. São formados por almas jovens, por almas maduras, por almas antigas e por anjos da Terra.

As almas jovens estão nos primeiros estágios de percepção. Elas podem ter tido muitas ou poucas existências e ter vivido neste planeta ou em outras dimensões, mas, como seres espirituais, a evolução delas é, na melhor das hipóteses, limitada. Algumas dessas almas jovens e iniciantes podem ter decidido viver suas vidas sem avançar no aprendizado dos valores e das virtudes espirituais. Algumas podem ter vivido vidas voltadas para a conquista de cargos importantes e grandes riquezas e estão mais interessadas na busca do próprio benefício e na obtenção de coisas materiais do que em seu próprio aprendizado e desenvolvimento.

As almas jovens atraem outras almas capazes de ajudá-las a alcançar fama e poder com facilidade e não se preocupam muito com as consequências de suas ações. Elas encaram a vida pela perspectiva de ganhar ou perder – sendo que a vitória, é claro, significa tudo. Elas não enxergam o grande cenário, porque vivem em seus próprios universos limitados e buscam apenas os prazeres da vida.

As almas jovens são governadas pelo ego, cuja base é o medo. Elas costumam se cercar de pessoas que pensam como elas e com quem formam grupos sociais que se admiram mutuamente. Para mim, essas almas vivem de maneira inconsciente, porque, além de só se preocuparem com suas próprias necessidades e desejos, ignoram por completo questões e conceitos relacionados à ética. Pertencem a esse grupo religiosos fanáticos e intolerantes e muitos políticos hipócritas que demonstram pouca compaixão por pessoas com ideias diferentes das suas. Hoje, a Terra é habitada por uma maioria de almas jovens que estão em níveis diferentes desse estágio inicial de desenvolvimento espiritual. Um dia, elas aprenderão suas lições e avançarão em direção à maturidade.

As almas maduras são bem diferentes das almas jovens, porque têm muito mais consciência de si mesmas como seres espirituais. Estão muito mais envolvidas emocionalmente com a vida, com as pessoas e com as situações. Elas têm valores e qualidades abrangentes e geralmente são abnegadas e altruístas em suas necessidades e desejos. Os bens materiais não governam suas vidas. Essas almas têm verdadeira consideração pela vida, seja ela humana, animal ou vegetal. Diferentemente das almas jovens, as almas maduras costumam ver a vida sob outra perspectiva. Elas são motivadas pelo desejo de servir e pelo mérito, não pelo lucro e pela perda.

As almas maduras administram suas responsabilidades e se preocupam com o impacto que suas ações terão em outras vidas. Parece haver muito mais criatividade nesse nível de percepção, ou seja, as almas maduras têm condições de manifestar sua emotividade de maneira artística e criativa para o mundo inteiro apreciar. São elas que estimulam as almas mais jovens a questionar seus motivos e suas crenças. Sua função é ajudar as almas iniciantes a aprender a controlar o ego, a expressar sinceridade, a amar e apoiar os outros.

As almas antigas são as mais desenvolvidas. Todos já ouvimos alguém se referir a outra pessoa, sobretudo a uma criança, como uma alma antiga. A partir das minhas observações, posso dizer que as crianças que morrem ainda pequenas são, quase sempre, almas antigas. Eu vejo as almas antigas como as de pessoas amadurecidas (a idade não tem nada a ver com a maturidade da alma) que já aprenderam as questões fundamentais da vida. São almas pacientes, conseguem fluir com tudo o que a vida coloca em seus caminhos, são bondosas e compreensivas ao extremo e entendem completamente as dificuldades dos outros.

As almas antigas são uma espécie rara neste planeta, porque elas vivem para fortalecer os valores humanos. De modo geral, não são pessoas ricas nem famosas, mas, em sua maioria, são professores de vida, pessoas com o dom da cura ou trabalhadores iluminados que têm como meta fazer com que o nosso mundo se torne um lugar melhor. Algumas almas antigas trabalham em organizações que salvam crianças famintas e vítimas de maus-tratos, e outras, como Madre Teresa de Calcutá, são pessoas abnegadas que se dedicam aos desamparados e enfermos. As almas antigas sabem que sua missão na Terra é servir e levar o conhecimento que possuem a todos. Por causa de seus níveis de percepção, elas acompanham muito bem o ritmo da vida. No plano espiritual, elas geralmente têm muitos guias que orientam e inspiram seu trabalho na Terra e mantêm um nível de integridade pessoal que todos gostaríamos de possuir. Embora mais desenvolvidas, as almas antigas ainda têm algo a aprender no plano físico; caso contrário, não se encarnariam. Embora um guia mestre do plano espiritual raramente retorne à Terra para instruir as massas, isso já aconteceu.

Os anjos da Terra são almas radiantes. Eu já percebi que muitas crianças que voltam à Terra para viver apenas curtos períodos de tempo não são apenas almas antigas, mas também anjos da Terra, e estão aqui para irradiar sua luz para os outros. Em níveis de inteligência, criatividade e interação pessoal, essas crianças estão muito além dos anos que passam na Terra. Elas tendem a atrair pessoas por causa de sua luz. Ellie era um desses seres – um exemplo perfeito de um anjo caminhando na Terra.

Muitos anjos da Terra passam a maior parte do tempo nos planos espirituais mais elevados. Eles só vêm ao plano terrestre para ajudar alguém que pertença a seu grupo de almas. Embora façam parte da experiência humana, eles geralmente sentem uma opressiva sensação de não pertencer a este ambiente.

Além de terem as características de uma alma antiga, os anjos da Terra são muito esclarecidos e compreensivos ao lidar com os outros. Consigo sempre distinguir os anjos da Terra quando olho em seus olhos, porque eles têm o olhar profundo e hipnótico de quem já viveu vidas como seres extraterrestres ou estelares, ou como membros de civilizações mais avançadas.

Voo para casa

Não gosto nem um pouco de viajar de avião. No início da minha carreira era mais fácil, mas agora, depois de ter voado ao redor do mundo muitas vezes e talvez por causa de minha natureza sensitiva, eu me sinto extremamente desconfortável quando me vejo preso dentro daquele tubo de metal por qualquer período de tempo. Recentemente, passei um fim de semana dando palestras no Omega Institute em Nova York. Minha amiga Lorna estava me levando para o aeroporto de Newark, onde eu pegaria um voo de volta para casa. Com o trânsito pesado, manifestei minha preocupação. Ao notar como eu estava aflito, Lorna disse que precisávamos pedir aos nossos anjos que abrissem o caminho. Aceitei o conselho e, em silêncio, enviei um pensamento: *Por favor, amigos, enviem um anjo para abrir o caminho, porque estou muito nervoso.*

Assim que Lorna me deixou no aeroporto, corri pelo terminal, extremamente ansioso, tentando encontrar o balcão certo para fazer o check-in. Quando vi que tinha apenas 40 minutos para pegar o voo, comecei a me desesperar. Finalmente cheguei ao balcão, mas a atendente foi lenta e jogou minha mala na esteira de maneira displicente. Tive a premonição de que algo ia dar errado com a mala. Corri para a fila de controle de segurança e, lá chegando, me assustei com o tamanho dela. Naquele momento, fiquei histérico, convencido de que ia perder o voo.

De repente, um jovem que estava na minha frente virou-se e perguntou:

– Você está indo para Orange County?

Quando respondi que sim, ele me tranquilizou:

– Eu também. Não se preocupe, nós vamos conseguir pegar o voo. Faço isso todas as semanas. Você conseguirá, eu garanto.

Ao olhar para a aura dele, vi um grande círculo de luz dourada envolvendo-o e pensei que devia ser o anjo que eu tinha pedido. De repente, a fila começou a andar rapidamente, e durante o percurso conversamos sobre tudo, de viagens a culinária. Quando nos dirigíamos para o portão de embarque, ele perguntou:

– O que é que você faz?

– Escrevo livros – respondi. Nunca digo que sou um médium, porque, inevitavelmente, a próxima pergunta é "Tem alguém ao meu lado?".

– Qual é o seu nome? – perguntei.

– Phil – ele respondeu.

– O que é que você faz?

– Sou representante de vendas de uma empresa farmacêutica.

Pensei que aquilo fazia sentido. Ele vende remédios que ajudam a curar pessoas.

– Que tipo de livros você escreve? – ele perguntou.

Rapidamente dei a minha resposta usual:

– Espiritualidade, livros sobre desenvolvimento pessoal.

Ele sorriu e deu uma resposta inesperada:

– Obrigado por fazer isso. O mundo precisa muito desse tipo de informação.

A caminho do portão, parei no banheiro.

– Vejo você no avião.

Dez minutos depois, quando cheguei à minha cadeira, imagine quem estava sentado ao meu lado? Phil e eu continuamos a conversar durante toda a viagem.

Existem anjos da Terra na sua vida? Tenho certeza de que, se você chamá-los, eles aparecerão.

Portanto, sabendo que somos almas e que as crianças que morrem são almas antigas, o que devemos aprender com a morte delas? Falarei sobre as razões para a vida e a morte no próximo capítulo sobre lições de alma.

cinco

Lições de alma

As almas só se juntarão na vida física se houver uma forte atração espiritual... a atração do carma...

– Sabedoria de White Eagle

Por que iria um Deus amoroso ser tão cruel a ponto de tirar meu filho? Por que crianças inocentes precisam morrer antes de sua vida ter sequer começado? Por que as crianças não são poupadas de mortes violentas ou acidentes trágicos? Essas são algumas das perguntas que escuto frequentemente em meus eventos. As pessoas acham que deve haver uma resposta fácil para elas. Na verdade, a resposta é simples, e infelizmente isso faz com que sua compreensão seja ainda mais difícil.

Essas tragédias acontecem por serem lições para determinadas almas, para suas famílias de almas e seu grupo de almas. Na escola que é o planeta Terra acumulamos lições que têm como base a maneira como decidimos viver em vidas anteriores. Elas se tornaram as nossas lições cármicas ou lições de alma. O termo *carma* vem do sânscrito clássico e significa "ação". O carma é uma lei universal de causa e efeito. Ele não é bom nem mau, é uma escolha. Uma alma decide agir de uma determinada maneira através de seus pensamentos, atos e atitudes. Além das antigas filosofias orientais, existem vários estudos como o *Journey of Souls* (Jornada das Almas), de Michael Newton, e o *Exploring the Eternal Soul* (Explorando a Alma Eterna), de Andy Tomlinson, que tratam da noção do carma e das lições de alma. H. P. Blavatsky, fundadora da Theosophical Society em 1875, pode ser chamada de mãe do movimento metafísico moderno. Ela afirmava que o carma é a lei fundamental do universo, ou seja, a fonte, a origem e a semente de todas as outras leis que existem na natureza: "O carma é a lei infalível que ajusta o efeito à causa nos planos físicos, mentais e espirituais do ser (...) é aquela lei invisível e desconhecida que adapta, com sabedoria, inteligência e imparcialidade, cada efeito à sua causa, ligando-o de volta a seu produtor." Hoje em dia nos referimos ao carma com clichês como "aquilo que vai volta". É a lei cármica que mantém o Universo em equilíbrio ao governar cada pessoa, animal, grupo, cidade, nação e planeta.

Quando uma alma reencarna e volta à Terra, ela traz todas as suas experiências passadas na sua memória de alma. Aquilo que ela criou no passado será revisto de alguma maneira. Por conseguinte, compreender o porquê dos nossos comportamentos e a maneira como afetamos os outros é essencial para o entendimento do carma.

Livre-arbítrio versus obrigações cármicas

Se estamos aqui para aprender através de nossas vidas passadas, como pode o livre-arbítrio influenciar o ressarcimento cármico? Na realidade, o livre-arbítrio e o carma, embora se oponham, são interdependentes. Um não pode existir sem o outro. O livre-arbítrio escolhe a forma como reagimos a determinadas situações na vida. Por exemplo, uma alma pode ter vivido vidas em que reagia com violência a confrontações. No período atual de vida, essa mesma alma poderá estabelecer circunstâncias confrontadoras para poder escolher agir com calma, em vez de violência. Espera-se que, nessa ocasião, a alma já tenha "aprendido a sua lição" e que a sua memória da alma ative a necessidade de uma mudança. Em vez de agir com violência, a alma pode decidir ser compreensiva. Mas ela é livre para decidir voltar a ser violenta.

O livre-arbítrio nos permite mudar nosso modo de pensar e de agir sempre que quisermos. Como o livre-arbítrio está presente em todas as decisões, as almas jovens e imaturas podem achar certas situações bastante desafiadoras.

Veja este exemplo: imagine-se descendo um rio em uma balsa. O seu destino é o final do rio e a viagem através dele é o seu carma. No meio do percurso você decide parar para descansar um pouco às margens do rio. Lá você encontra algumas pessoas e decide ficar mais um tempo curtindo a companhia delas. Esse é o seu livre-arbítrio. Depois de algum tempo, você decide voltar para a balsa e continuar a viagem, porque o seu destino o aguarda. A decisão de parar não fazia parte do seu plano original, mas você a tomou, e ela provou ser uma boa escolha, porque lhe proporcionou momentos agradáveis.

Veja agora um exemplo mais complicado que mostra como a maioria de nós não percebe a situação de causa e efeito (carma) nos acontecimentos. Um homem está atrasado para uma reunião de negócios; ele já foi advertido muitas vezes para ser pontual. Em seu esforço para chegar na hora, e com a mente preocupada com as consequências do atraso, ele avança um sinal de trânsito e bate em um ônibus escolar, matando várias crianças. Se ele tivesse prestado mais atenção no padrão de irresponsabilidade de sua alma – a tendência a estar sempre atrasado –, poderia ter saído mais cedo, evitando assim o acidente. Podemos afirmar que ele causou a morte daquelas crianças, mas poderíamos também ver o que aconteceu a partir de um ponto de vista diferente: talvez houvesse um pacto entre almas, ou seja, entre as almas desenvolvidas das crianças que morreram e a do homem que bateu no ônibus. No plano espiritual, as almas das crianças talvez tivessem concordado em ajudar aquele homem a mudar seu padrão. Eu sei que é difícil compreender isso com nossa mente humana, mas vamos pensar apenas na possibilidade de que, por causa do acidente, esse homem tenha finalmente compreendido as trágicas consequências de seu comportamento irresponsável e decidido mudar radicalmente a sua maneira de viver: ele decide largar seu emprego e dedicar-se a ajudar crianças órfãs. Ou seja, ele poderá fazer uso do seu livre-arbítrio e mudar a sua maneira de agir, ou poderá continuar com seu antigo padrão de irresponsabilidade e assim criar mais carma a ser resolvido.

Durante uma vida nessa escola chamada Terra, as nossas reações a certas experiências cedo ou tarde irão nos afetar. Talvez tenhamos de passar por uma situação difícil para ajudar alguém que esteja sofrendo o mesmo problema, talvez tenhamos de aprender a assumir nossas responsabilidades ou talvez encontrar um objetivo para a nossa vida. Eu vejo isso repetidamente após a morte de uma criança. Os pais partem em novas direções, aprendem suas lições de alma e evoluem em consequência da experiência. Como vocês verão na próxima história, por mais devastadoras que sejam essas tragédias, há uma razão para essas mortes.

Meu filho salvou a minha vida

A maioria das crianças vem à Terra como anjos por um breve período e durante esse tempo nos ajudam com as nossas lições de alma. A sessão que vou descrever foi muito comovente, como, aliás, tudo o que aconteceu naquela noite. Há alguns anos participei de uma apresentação em que dividi o palco do El Rey Theater em Los Angeles com duas médiuns fantásticas, Concetta Bertoldi e Rebecca Rosen. Você pode imaginar três médiuns em um palco? Para resumir, a noite foi fascinante.

Após o intervalo, chegou a minha vez de pisar no palco. A energia presente na sala era poderosa. Como sempre, esfreguei as mãos para sentir a força do mundo espiritual e em seguida percorri a sala, transmitindo para as pessoas mensagens de seus entes queridos. Um determinado espírito era muito insistente.

– Tudo bem – eu disse, olhando para cima. – Chegou a sua vez.

Voltei-me para a plateia e perguntei:

– Está aqui um espírito muito inteligente e cheio de amor. Alguém aqui perdeu um filho?

Algumas mãos se ergueram, mas o espírito me direcionou para uma mulher miúda, de cabelos escuros, que estava no fundo da sala. Um dos ajudantes lhe entregou um microfone.

– Eu perdi um filho – ela disse.

– Esse espírito morreu muito recentemente. Ele está muito excitado por se encontrar aqui. Você precisa saber que ele já viveu muitas, muitas vidas, e é muito evoluído espiritualmente.

Inclinei então a cabeça para ouvir as mensagens que ele enviava rapidamente.

– Ele está me dizendo que você está com a carteira dele. É verdade?

A mulher começou a tremer e chorar. Olhou para o homem sentado ao seu lado, virou-se de volta para mim e balançou afirmativamente a cabeça. Procurou dentro da bolsa e pegou a carteira. – Aqui está ela.

Eu me dirigi ao homem ao seu lado.

– Você é o pai?

– Sim – respondeu ele ao se levantar.

– O seu filho morreu muito rapidamente – eu disse. – A alma dele deixou o corpo com muita rapidez. Ele está dizendo que tinha chegado a hora de ir embora. Você compreende?

A mulher começou a chorar.

Fechei os olhos e esperei pela próxima mensagem.

– O nome do seu filho é Ernest ou Ernie? – perguntei, olhando para o pai. – Ele está agradecendo a coroa de flores. Você escolheu as flores. Ele está me mostrando uma coroa de flores em forma de coração. Ele gostou de você ter colocado a fotografia dele no meio do coração.

O pai chorou e balançou a cabeça afirmativamente.

Abri bem os braços e disse:

– Ele quer que você fique com o coração. Você foi um grande pai, o melhor. Ele lhe agradece por isso. – Fiz uma pequena pausa. – Ele está dizendo que ama muito vocês dois. Ele quer que vocês saibam disso. Ele diz que os escolheu especialmente para serem seus pais e quer que saibam que vocês três estarão sempre juntos.

A seguir, eu me virei para a mãe e comentei:

– Ele está me mostrando uma fita azul com *Eu amo a mamãe* escrito nela. Ele quer que você saiba que você foi uma excelente mãe. Ele a ama. *Eu tenho os melhores pais,* ele está dizendo. *Vocês são muito especiais.*

Os pais estavam atônitos.

– Agora ele está me mostrando uma pequena praia. Ela tem um cais ou uma ponte. Ele estava lá com você. Ele estava tentando ajudá-la.

A mulher começou a soluçar.

– Ele tem um sorriso fantástico. Ele jogava futebol? Porque ele está me mostrando uma camisa de futebol.

– Jogava sim.

– Ele está se movendo como se estivesse patinando. – Tentei me mover de um lado para outro como o espírito estava me mostrando.

– Ele adorava andar de skate.

– Eu quero que vocês saibam que o filho de vocês é um espírito muito evoluído. Vocês compreendem?

– Sim.

De repente, Ernie me enviou outro pensamento.

– O nome Lucy ou Lucille significa alguma coisa para vocês?

Pude ver o espanto no rosto dos pais, como se um raio os tivesse atingido.

– Lucy era a nossa cachorrinha. Eu mandei que a sacrificassem na manhã em que meu filho morreu.

Uma exclamação de surpresa foi ouvida na plateia.

– Ele está me dizendo que a Lucy estava esperando por ele. – E prosseguí: – Ele quer que vocês sejam felizes. Naquele momento, senti que a sessão tinha acabado e ia começar a me afastar, quando o jovem insistiu para que eu voltasse.

– Ele não quer deixá-los. Ele é muito insistente. Como foi que ele morreu?

Instantes antes de a mulher começar a falar, o espírito me mostrou uma imagem.

– Ele está me mostrando um revólver, mas isso não tem nada a ver com a morte dele. Você compreende? Ele está muito preocupado com você. O revólver está em um armário.

– Nós temos armas – a mãe disse. – Eu pensei em me matar com uma delas.

Ouviu-se outra exclamação de surpresa na plateia.

Ao olhar para a mulher, pude sentir a dor e a tristeza dela. Sacudi a cabeça. – Por favor, não faça isso. Seu filho veio aqui esta noite para lhe dizer isso. Ele está tentando ajudá-la. Ele quer que você viva. A sua hora ainda não chegou. Vocês dois têm trabalho a fazer na Terra. Você pensa muito em se matar.

– Sim. Eu compreendo. Diga ao meu filho que não vou mais pensar em fazer isso.

Eu sabia que o jovem Ernie estava lá não apenas para ajudar seus pais, mas todos os pais que se sentiam desesperados e sozinhos.

Quando Ernie finalmente se convenceu de que sua mãe ficaria bem e não tentaria mais se matar, ele partiu em uma névoa de luz.

Pedi ao casal que permanecesse após a sessão para que pudéssemos conversar um pouco. Quando o evento acabou, fui ao encontro de Martha e Ernesto, os pais do Ernie. Martha me falou sobre a morte do Ernie em um terrível acidente de carro, quando ia do trabalho para casa. Descreveu a dor que sentiu por ser obrigada a sacrificar a cachorrinha deles, Lucy, exatamente no mesmo dia da morte do filho.

Martha também me contou que Ernie já sofrera dois acidentes de carro antes.

– Ele devia ter morrido no primeiro – eu disse.

– Por que então ele ficou? – ela perguntou.

– Porque ainda tinha coisas a fazer.

Ela repetiu que não sentia mais vontade de viver, mas me assegurou que o presente da mensagem do filho ajudaria os dois.

– Vocês nunca estão sozinhos – eu lhes garanti.

Há pouco tempo recebi um e-mail de Martha.

Prezado James,

Gostaria de ter palavras para descrever o que sinto por você. Eu não o conheço bem, mas penso em você frequentemente e lhe envio nossos votos de felicidade e nosso amor. Você salvou a minha vida. Na manhã seguinte à sessão com você, acordei e esperei que a costumeira sensação de impotência e desespero tomasse conta de mim, mas isso não aconteceu. Abri os olhos, pensei no Ernie e sorri. Senti meu coração se encher de esperança. Disse ao meu filho que o amava e agradeci a ele por ter ido a sua sessão. Você e o Ernie salvaram a minha vida, James. Depois daquela noite, voltei a trabalhar todos os dias. Eu queria me envolver outra vez, queria estar na loja que ele administrava, estar cercada pelas pessoas que ele amava e que o amavam. Sabia que ele estaria me observando e precisava que ele sentisse orgulho de mim outra vez. Voltei a ter esperança. Sei que não estou sozinha e que, quando a minha hora chegar, eu o verei de novo. Tenho certeza disso. Ele correrá para me encontrar, me dará um abraço apertado e eu me sentirei inteira outra vez. O pai dele me conforta e eu o conforto. A nossa força vem do fato de termos compartilhado nossas vidas com o Ernie. Obrigada, James. Onde quer que você esteja, eu estarei sempre enviando a você o nosso amor e os nossos votos de felicidade.

Martha

Os membros dessa família já tinham passado por várias vidas juntos. Embora Ernie já tivesse encerrado seu trabalho na Terra, ele ainda tinha coisas a fazer no mundo espiritual. Precisava impedir que sua mãe cometesse um erro terrível. Ao conseguir isso, ele cumpriu uma obrigação cármica muito importante – salvar a vida da mãe. Talvez, em outra vida, ela o tivesse ajudado a não cometer um erro semelhante. Quando um filho morre, seja qual for a sua idade, a morte dele é indubitavelmente uma lição para os pais.

Antes de encarnarem na esfera terrestre, as almas escolhem as lições que precisarão aprender e as obrigações cármicas que terão de cumprir com a ajuda de suas famílias espirituais e do Conselho de Anciãos. Como já expliquei, essas lições estão, em sua maioria, relacionadas a assuntos não resolvidos e deixados para trás em vidas anteriores. Quando a alma está no mundo espiritual, ela assume um compromisso consciente de aprender. Mas, quando ela reencarna, sua memória é coberta pelas emoções humanas – ou pelo que eu chamo de amnésia humana. Sempre ouço perguntas sobre crianças que nascem com deficiências mentais ou físicas e posso apenas repetir aquilo que me foi dito pelo mundo espiritual. Há obviamente um drama espiritual em ação nesses casos. Todas as circunstâncias escolhidas visam a nos ajudar a aprender os muitos aspectos do amor. Durante todos esses anos, me foram concedidas percepções espirituais sobre essas lições. Eu gostaria de compartilhar com você o que aprendi.

Aborto e mortalidade infantil

Os abortos espontâneos são contratos de almas feitos entre mães e filhos. Uma alma por nascer pode estar testando o compromisso da mãe ou se testando para ver se quer, ou não, viver em um corpo físico. A alma pode entrar na mãe, constatar que não está pronta, e por isso partir. E pode fazer isso inúmeras vezes. A mesma alma pode estar ajudando a mãe a aprender lições talvez relacionadas a controle (eu preciso engravidar agora) ou a dúvidas sobre o que ela quer (não sei se quero engravidar ou conseguir aquela promoção). Existem também lições relacionadas a problemas de saúde ou de dinheiro. Antes de decidir se fixar no útero de maneira definitiva, a alma por nascer pode dar àquela mulher a oportunidade de organizar sua casa. Nas minhas sessões, conversei com muitos espíritos que contaram que o aborto tinha ocorrido porque aquele não era o momento certo para eles ou para a mãe.

A partir de uma perspectiva espiritual, os abortos são lições para que a mãe aprenda sobre amor-próprio e autoestima. A alma sempre sabe quando o feto será abortado, e por isso não se fixa nele. Portanto, em um aborto, ninguém está sendo assassinado. Nesses casos, mais uma vez, ambas as almas concordaram previamente em passar por aquela experiência para evoluírem. O aborto pode também estar relacionado a uma dívida anterior, em que uma alma paga um débito cármico a outra. Em uma vida anterior, a alma do feto talvez tenha sido uma mãe que tenha rejeitado seu filho e por isso precisa sentir os efeitos do abandono e/ou traição.

Várias mães me escreveram para contar sobre o que tinham sentido ao decidirem abortar. Uma delas era uma mãe que já tinha cinco filhos, passava necessidade financeira, fora abandonada pelo marido e estava tão desesperada e infeliz por ter decidido abortar que pensou em acabar com a própria vida. Seu sentimento de culpa era terrível. Punir essa mãe seria uma tragédia para seus outros filhos. Outra mãe escreveu para contar que tinha sido visitada pela alma do feto na noite anterior ao aborto. Ela contou que aquela alma já tinha encontrado outra mãe, aceitara a decisão dela e a amava. Não nos cabe julgar essas lições de alma.

As crianças que morrem de síndrome de morte súbita e de outras doenças infantis são geralmente almas evoluídas que precisam apenas passar pela experiência do nascimento para atingirem seus objetivos e ajudarem os pais a crescer espiritualmente. Repetindo mais uma vez, esse acordo foi efetuado antes da encarnação. Outra possibilidade é de que, por ter-se precipitado ao decidir reencarnar, a alma tenha constatado, após um curto período de existência, que não estava pronta para cumprir suas obrigações. Em uma ocasião, as almas disseram que tinham decidido aprender suas lições com um grupo de almas que não fazia parte de suas famílias atuais. Em todos os casos, a morte de um filho obriga os pais a valorizar a vida e a manter o foco no amor.

Doenças infantis e acidentes

Você já notou que uma criança que está doente geralmente se mostra mais preocupada com o bem-estar de seus pais do que com o dela própria? Quando uma criança morre vítima de uma doença, a sua morte está sempre relacionada a ensinar lições aos outros. Essas lições talvez tenham a ver com compaixão, altruísmo ou amor incondicional. Há também a possibilidade de uma alma ter uma doença para que as gerações futuras não a tenham. Este foi obviamente o caso da epidemia de pólio do início dos anos de 1950. Eu me lembro de ver noticiários sobre crianças aguardando em pé, em filas, para tomar as preciosas doses da vacina antipólio. É triste, e no entanto esperado, que algumas almas paguem com a vida para que milhões de outras possam ser salvas.

O que nos parece um acidente arbitrário é algo que já fora decidido no plano espiritual. Ou seja, os acidentes não são acidentes, mas fatos predeterminados. Isso se aplica a acidentes de carro e de ônibus, a desastres de avião e de trem, a afogamentos, quedas, incêndios ou qualquer outra das assim chamadas catástrofes. Desastres naturais como tsunamis, tornados e terremotos são planejados previamente por muitos grupos de almas com o intuito de nos ensinar a sentir amor e compaixão. Não é de admirar, portanto, que, quando uma catástrofe atinge uma cidade ou um país, pessoas do mundo inteiro se unam para ajudar as vítimas e seus familiares. As catástrofes são lições de expansão e transformação para as almas, sobretudo para a dos que sobrevivem. Os acidentes e os desastres costumam gerar novas leis ou novas maneiras de proteger a população e os menos favorecidos. Em muitos casos, essas mortes "acidentais" fazem com que algumas pessoas, entre elas os pais, questionem suas crenças espirituais. Ao falar com espíritos de crianças que morreram em acidentes, aprendi que para os pais a principal lição é pararem de sentir culpa e perdoarem a si mesmos.

Esse foi o caso da mãe de Vanessa, cuja culpa impedia a filha de chegar até ela. Em um evento em British Columbia, o espírito de uma bonita jovem apareceu diante de mim antes da última sessão da noite.

– Está aqui uma jovem de cerca de 17 anos com longos cabelos louros. A mãe dela está na plateia e tem uma mecha de cabelos da jovem em sua carteira.

O que aconteceu a seguir repete-se com muita frequência. A mãe a quem eu me dirigia estava com muito medo de se levantar, e por isso continuei:

– Ela está me mostrando uma boneca. Isto faz sentido para alguém?

Uma mulher no fundo da sala acenou. Pedi-lhe que se levantasse.

– Ela é sua filha? – perguntei.

– Não, é minha sobrinha.

– Ela tem 17 anos?

– Não. A minha sobrinha tinha 18.

Sacudi a cabeça porque sabia que aquela não era a pessoa certa. O espírito estava me dizendo: *Não é ela.*

– Você tem uma mecha dos cabelos de sua sobrinha com você?

– Eu tenho uma mecha dos cabelos dela, mas ficou em casa.

– Estou vendo um hospital. Ela não estava feliz lá.

Continuei por mais alguns minutos para tentar estabelecer uma conexão entre o espírito e a mulher diante de mim. Transmiti vários detalhes da mensagem que estava sendo transmitida a mim pelo espírito da jovem, mas nenhum deles era confirmado por ela. Falei da medicação intravenosa que a moça estaria tomando, do vestido branco que usava no momento em que morreu, das fotos que colecionava, das flores que cultivava. Nenhuma resposta da mulher.

Eu estava cada vez mais convencido de que aquela mulher não era a pessoa certa, mas, como a verdadeira mãe não tinha se levantado, tive de encerrar a sessão.

– Ela está me dizendo que a mãe dela está sofrendo muito. Será que você poderia pedir à sua irmã para entrar em contato comigo através do meu site?

A mulher fez que sim com a cabeça e se sentou.

Durante todo aquele tempo, a verdadeira mãe daquela jovem estava na plateia. Dois dias depois, ela entrou em contato com o meu site. O que temos a seguir é um trecho de sua carta.

Prezado James,

Em junho de 1999 nossa vida mudou para sempre porque Vanessa, nossa filha de 17 anos, morreu em um acidente de carro.

Algumas semanas após a morte dela, alguém que compreendia a dor e a tristeza que estávamos sentindo nos enviou uma cópia de Conversando com os espíritos. *O livro fez com que meu marido e eu iniciássemos uma jornada que teve um resultado surpreendente: lemos muitos livros de vários autores e descobrimos o mundo dos médiuns. Chegamos a consultar um em nossa cidade. Mas a experiência foi tão dolorosa que me deixou descrente. Meu marido e eu sempre achamos que o espírito da Vanessa está por perto. Meu marido, Curtis, a ouviu muitas vezes, mas comigo ela era muito silenciosa. Embora esses sinais nos trouxessem um grande prazer, eu me perguntava se não os sentíamos por precisarmos tanto deles.*

Na virada do ano de 2008, assim como milhares de outras pessoas, fiz a minha lista de desejos. Disse que queria estar com um médium de verdade, que fosse mundialmente conhecido, e por isso escolhi você. Os seus livros eram os que mais me traziam conforto. Nos dois anos seguintes consultei o seu site para ver se você viria a Vancouver. Nesse meio-tempo tive contato com um outro médium, e a experiência também foi muito dolorosa. Então as coincidências começaram a acontecer. Uma manhã, quando liguei a televisão, ouvi o locutor dizer que você estava em Vancouver.

Enquanto esperava pela noite do show, pensei muito e finalmente decidi levar uma mecha dos lindos cabelos louros da Vanessa. Você começou a última sessão da noite descrevendo uma jovem com longos cabelos louros e perguntando se a mãe dela estava na plateia. Eu gelei. Não conseguia acreditar no que estava ouvindo. Eu tinha esquecido de levar a mecha de cabelos dela. Ninguém levantou a mão, e aí você mencionou uma boneca. Estava pensando que Vanessa tinha muitas bonecas, quando outra senhora levantou a mão. Fiquei inibida e me calei.

Enquanto caminhávamos para o carro, eu disse ao Curtis: "Era a Vanessa." Ele perguntou por que eu não tinha levantado a mão. Eu me sentia arrasada. A culpa era minha. Tinha novamente fa-

lhado como mãe e tirado do Curtis a oportunidade de ouvir o que nossa filha tinha a dizer. Eu estava com muito medo de ficar desapontada e magoada outra vez. Eu tinha pavor de falar demais, porque, como queria muito entrar em contato com Vanessa, poderia acreditar em qualquer coisa que você dissesse. A caminho de casa, eu me torturei com os mesmos sentimentos de culpa que experimentei quando houve o acidente de carro. Não consegui dormir aquela noite. Não parava de lembrar que tinha perdido uma oportunidade de falar com minha filha.

Analisei cada palavra que você tinha dito – uma jovem de 17 anos com longos cabelos louros, a mecha de cabelos, a boneca (lembrei-me das bonecas que fizera para Vanessa e que tinha bordado na bainha de sua roupa: "Onde você estiver, seja feliz e lembre-se de que eu a amo"). Em seguida você mencionou o hospital. Sim, ela foi para o hospital depois do acidente, mas eles não conseguiram salvá-la. Os detalhes mencionados coincidiam perfeitamente com ela. O vestido longo e branco foi o da festa de formatura. Ela o usou três semanas antes do acidente e ficou linda nele. Ela fazia álbuns de fotografia. A última coisa que você mencionou foram as flores – durante o jantar, antes do show, tínhamos conversado sobre as flores que Vanessa gostava de cultivar.

Foram muitas as coincidências. Lembrando que você tinha pedido que a mãe o contatasse através do seu site, levantei-me, fui para o computador e lhe enviei um e-mail. Naquela noite fui para a cama me sentindo novamente um fracasso. Às três da manhã, acordei (o número preferido da Vanessa era o três) e permaneci deitada conversando com a Vanessa. Quando o Curtis acordou, nós conversamos. Tudo se encaixou. O fato de eu não ter levantado a mão não era importante. Aquela era uma lição que eu precisava aprender. Passei a acreditar que os espíritos podem falar através dos médiuns. Vanessa sabia que eu estava com medo de sofrer outra decepção e por isso continuou falando com você, dando todas as pistas para que eu pudesse saber que era ela. De repente, tudo ficou muito claro para mim. Você é o instrumento, mas as mensagens só fazem sentido quando a conexão está correta. Para ter certeza de que eu tinha entendido, a luz do nosso quintal acendeu durante alguns segundos e depois apagou. Eu tinha realmente visto a luz. Vanessa estava bem. Eu finalmente compreendi as mensagens dela. Posso parar de me sentir um fracasso e começar a me curar. Estou aberta para sentir o amor da minha filha. Obrigada por ter ajudado.

Cheryl

Quando os sentimentos de medo passam a nos controlar, como aconteceu com a Cheryl, não conseguimos nos abrir nem ficar atentos ao mundo espiritual. Vanessa tinha dado a sua mãe muitas pistas, mas Cheryl precisava parar de sentir medo, de sofrer e de ser influenciada pela opinião dos outros.

Cheryl e Vanessa terão muitas outras oportunidades para se reunirem como uma família de almas, e até mesmo para aprender. No próximo capítulo veremos como uma alma decide estar com a sua família de espíritos e quais as lições que ela quer aprender. Em seguida, veremos como tudo isso acontece antes de voltarmos para a Terra.

Suicídios

O suicídio é o único acontecimento sobre o qual não sei com certeza se é, ou não, planejado do outro lado. Cada situação é única. Quando uma pessoa se suicida e a alma constata o sofrimento e a dor que está causando à sua família e aos seus amigos, experimenta uma dor intensa e muito arrependimento. Os suicidas constatam que seus problemas não desapareceram e que eles ainda precisarão conviver com certos sentimentos. Aprendi, durante todos esses anos, que a intenção por trás do suicídio é da maior importância. Por exemplo, uma pessoa que comete suicídio para se livrar de um grande tormento recebe um tratamento diferente daquela que tinha uma doença mental. No primeiro caso, a pessoa usou o seu livre-arbítrio, decidiu não passar pela lição de alma, optou por sair antes do tempo previsto. Ao passo que uma pessoa com um distúrbio mental talvez estivesse tentando superar alguma lição cármica, mas sua alma talvez estivesse demasiadamente danificada para perseverar. Além disso, as almas que reencarnam rapidamente antes de terem concluído as lições de alma relacionadas às suas vidas anteriores sentem, muitas vezes, que não se adaptam e por isso querem ir embora. Foi exatamente o que aconteceu com a minha prima Patrícia – que, a propósito, foi quem me apresentou à metafísica quando eu ainda era um menino.

Quando ocorre um suicídio, o mais importante é lembrar que, se o objetivo da alma é aprender e crescer mas ela decidiu encerrar sua jornada (abandonar a escola) antes do tempo, será preciso, é claro, voltar e refazer suas lições. Lembre-se de que as lições da alma são sobre amor-próprio, amor pelos outros, paciência e fé. A melhor coisa que podemos fazer por aqueles que se suicidam é perdoá-los e amá-los incondicionalmente. O nosso amor e o nosso perdão farão com que seja mais fácil para eles se amarem e se perdoarem no lado espiritual da vida.

Assassinatos

É claro que cada situação de assassinato é única. O assassinato pode ser uma lição cármica ou o pagamento de uma dívida cármica anterior. Ele pode envolver alguém com um baixo nível de evolução espiritual ou uma alma jovem que esteja repetindo um padrão de alma destrutivo. Nesta circunstância, a lição mais importante é a do perdão. Em minha opinião, precisamos perdoar essas almas e ajudá-las a compreender as consequências danosas de suas ações. Se compreendermos que somos espíritos vivendo experiências físicas para conseguirmos evoluir, o fato de reconhecermos a diversidade de situações que ocorrem é muito benéfico.

Na Inglaterra, em um evento que fazia parte de uma série de apresentações na televisão e de tardes e noites de autógrafos, fiz uma sessão que emocionou todos os que a presenciaram. No fim da parte de perguntas e respostas, os espíritos começaram a se posicionar para poderem se comunicar, e alguns estavam bastante ansiosos para que eu os visse.

– Tenho aqui do meu lado direito dois meninos. Eles estão muito ansiosos para atrair a atenção de alguém que se encontra aqui. Devem ter cerca de oito e dez anos e insistem dizendo que é muito importante. Ambos são louros e têm olhos azuis. Isto faz sentido para alguém nesta sala?

Enquanto esperava, pedi aos meninos que me dessem mais informações.

Olhei para a plateia e disse:

– Agora há outro menininho aqui, de seis ou sete anos. Portanto, há três meninos comigo.

De repente, ouvi um grito vindo do meio do auditório. Um dos ajudantes entregou um microfone para uma mulher.

– Você reconhece esses meninos? – perguntei.

– Meu irmão perdeu seus três filhos com essa idade.

– Eles estão me mostrando um carro. Agora eles estão dentro do carro. Esta é a cena da morte deles.

– Sim. São os filhos do meu irmão.

– Qual é o seu nome, por favor?

– Margaret. Sou tia deles.

– Margaret, esses meninos estão me mostrando o carro na água. Eles estão dentro do carro e não conseguem sair. Eles morreram afogados.

– Sim, foi assim que eles morreram – ela falou com a voz abafada.

– Um deles, o mais velho, está me pedindo para dizer que eles estão bem. *Nós estamos bem,* ele fica repetindo. *Não chorem mais. Diga ao papai para não chorar mais.*

Margaret desmoronou e começou a chorar.

– Oh, meu Deus, aqueles pobres meninos!

– Estou ouvindo o Henry ou Herman, alguma coisa parecida com um Hen.

– Hayden. O mais velho se chamava Hayden.

– Ele está dizendo: *Não culpe a mamãe. Nós a amamos.*

Aquele comentário descontrolou a mulher outra vez, e ela cobriu o rosto com as mãos. Uma jovem que estava sentada ao seu lado levantou-se.

– Eu sou Lindsey, a filha dela.

– Obrigado – respondi. – Esses meninos estão muito preocupados com o pai deles. Querem se comunicar com ele. Estão me mostrando um computador. Eles têm tentado se comunicar com ele através do computador.

– Meu tio vende programas de computador! – exclamou Lindsey. – Ele sempre tem um computador com ele.

– Bem, diga-lhe que os meninos estão tentando dizer-lhe que estão bem.

– E quanto à mãe deles? – Lindsey quis saber.

Enviei meus pensamentos para os três meninos e perguntei se podiam me contar mais alguma coisa. Naquele momento, eles me mostraram algo que eu jamais esperaria ver. A mãe deles os estava colocando no carro e levando-os para o que parecia ser um cais. Ela permaneceu sentada, conversando com os filhos por algum tempo, e a seguir dirigiu o carro para dentro d'água. O carro afundou rapidamente. Ela saiu, mas os meninos permaneceram no carro.

Olhei para Margaret e Lindsey. – Estou vendo a morte dos meninos com mais clareza. A mãe deles os afogou, não foi?

Toda a plateia manifestou horror.

– Sim – Lindsey disse. – Aquela desgraçada afogou seus três filhos.

A dor que aquela família vinha experimentando ficou muito clara para mim. Eu podia sentir a raiva e o ódio intensos dirigidos à mãe dos meninos.

– Havia mais alguma coisa em jogo ali. A mãe tinha problemas mentais e emocionais. Os meninos querem que vocês a perdoem. Eles amam a mãe deles. Eles estavam aqui na Terra para ajudá-la e foram embora juntos. Ela não fez nada errado na opinião deles.

– Ela assassinou os filhos! – gritou Margaret.

– Sim, ela os matou e será punida por isso nesta vida. Vocês, no entanto, vieram aqui para ouvir o mundo espiritual, e esses meninos estão dizendo que perdoaram a mãe deles. Eles faziam parte de um plano maior. A mãe precisava de ajuda e eles estavam dispostos a ajudá-la. Eles querem que o pai a perdoe também.

Eu sabia que aquilo era muito difícil de ser compreendido.

– Ele não consegue dormir desde que tudo isso aconteceu – contou Margaret.

– Por favor, diga a ele que seus filhos estão bem. Hayden está me dizendo que eles têm brincado com o computador do pai. Os meninos querem que ele saiba que eles estão ao seu lado, que sempre estarão com ele. Por favor, diga isso ao pai.

Margaret balançou a cabeça.

– Será difícil. Ele está totalmente desolado.

Senti uma grande compaixão por aquela mulher e pelo irmão dela. A seguir, os meninos me mostraram outra coisa.

– O menino menor está sorrindo e me mostrando um livro com uma lua e estrelas na capa.

– *Boa noite, Lua* – disse Margaret. – Era o livro favorito do Perry.

– Diga ao pai que leia o livro para Perry à noite. Ele estará ouvindo.

– Oh, Deus. Não sei se conseguirei.

– Por favor, tente – eu disse. – Isso ajudará os dois.

– Está bem.

– Neste momento eles estão sorrindo e dando adeus.

Depois eu disse para a plateia:

– Por favor, rezem por este pai e por sua família. As orações são sempre ouvidas, e elas os ajudarão. Na verdade, esses menininhos são anjos de Deus.

Podia se ver as lágrimas correndo pelo rosto de todos.

Aquela foi a primeira vez que participei de uma sessão sobre um acontecimento tão trágico. Por isso, alguns dias depois, fiz uma pesquisa na internet e me surpreendi com o número de mães que matam seus filhos – e isso ocorre no mundo todo. Eu acho que essas situações são verdadeiramente cármicas. Nos casos que pesquisei, muitas das mães tinham se matado ou sido internadas em hospitais para doentes mentais. As lições de alma são muito individuais. Nessa sessão específica foi possível ver claramente que os meninos queriam muito que o pai perdoasse a mãe. Essa era a mensagem que eles queriam transmitir. Também preciso dizer a vocês que quando uma pessoa não perdoa alguém e se agarra à dor, à raiva, ao ódio, à culpa ou ao que quer que seja, a energia negativa se apossa de outras partes da vida dessa pessoa e de todos aqueles que a compartilham.

Reencontro

Muitos pais dizem que a coisa mais importante que aprenderam com seus filhos mortos é que um dia eles se reencontrarão.

Em relação a isso, não têm a menor dúvida. No próximo capítulo examinaremos os fatores envolvidos na volta à Terra e as oportunidades que uma alma tem para aprender e crescer.

Para encerrar este capítulo, compartilharei com vocês um belo poema escrito pela aclamada médium britânica Doris Stokes, falecida em 1987. "Há muitos anos", ela nos disse, "enquanto sofria a perda do meu bebê, o mundo espiritual me deu um poema que, desde então, tem sido um grande conforto para mim. Espero que ele também leve conforto aos pais que perderam filhos."

MEU BEBÊ

Em um castelo de bebês, pouco além do meu campo de visão,
o meu bebê brinca com brinquedos de anjos que o
dinheiro não pode comprar.
Quem sou eu para desejar que ele volte
para este mundo de discórdias?
Continue a brincar, meu bebê,
você tem a vida eterna.
À noite, quando tudo estiver em silêncio,
e o sono abandonar meus olhos,
ouvirei seus minúsculos passos vindo em minha direção.
As suas pequeninas mãos irão me acariciar
com muita delicadeza e doçura.
E então direi uma oração,
fecharei os olhos e o abraçarei em meu sono.
Agora tenho um tesouro que prezo mais do que tudo:
eu conheci a verdadeira glória – eu ainda sou mãe dele.

seis

A alma retorna

E chegou o dia em que o risco de permanecer comprimido dentro do botão da flor passou a ser mais doloroso que o risco de decidir florescer.

– Anaïs Nin

Ao chegar ao mundo espiritual, a alma percebe que entrou em uma esfera de energia criativa, pensamento universal, compaixão, alegria e silenciosa contemplação. É um lugar muito produtivo e projetado para ajudar a alma a estudar, adquirir conhecimentos e amadurecer. Lá, as almas se reúnem com suas famílias espirituais e seus grupos de almas para analisar suas lições de alma e planejar suas próximas missões terrestres. Nessa fase entre vidas na esfera terrestre, as almas podem progredir e alcançar formas mais elevadas de entendimento. Como eu disse no capítulo três, as almas frequentam escolas onde se especializam em vários assuntos que lhes serão úteis em encarnações futuras. As almas podem querer expandir seus talentos – cantar ou dançar, por exemplo – e aperfeiçoar essas habilidades.

Por fim, uma alma desejará sair do mundo espiritual para poder ampliar ainda mais seus horizontes. Quando uma alma decide reencarnar, ela pode fazê-lo na Terra ou em outros planetas, em outros sistemas estelares e outras galáxias. Além de um corpo físico, a alma pode encarnar em muitas outras formas. Ela pode decidir ser uma forma aquática ou até mesmo um animal. A vida oferece uma variedade de existências, e, para cada escolha, a alma planeja lições exclusivas para aquele ambiente específico. Se uma alma decidir retornar à Terra, ela se preparará para as lições humanas.

A alma tem boa compreensão do que precisa fazer para poder evoluir. Ela pode permanecer na fase entre vidas por quanto tempo quiser e progredir espiritualmente lá. Nesse caso, porém, seu crescimento será muito mais lento. O nosso mundo físico trabalha diretamente com as emoções e oferece uma grande variedade de dificuldades e desafios que não são encontrados em nenhuma outra dimensão. Às vezes, para um ser espiritual, a decisão de retornar à Terra é difícil, porque, além de parecer pouco natural e carente de amor, no nosso planeta há muito medo, incerteza, violência e agressividade. Por outro lado, a Terra oferece prazeres de que a alma se lembra com grande nostalgia. Como a Terra é uma maravilhosa sala de aula onde são testados os ideais espirituais de uma alma, é possível retornar à Terra muitas vezes, seja em busca de oportunidades de aperfeiçoamento da energia que lhe é inerente, seja para neutralizar carmas passados. Ao reencarnarem na Terra, as almas progridem com muita rapidez.

A teoria da reencarnação existe há milhares de anos e está presente em quase todas as culturas modernas. Ela fez parte do cristianismo até o ano 325, quando, em um esforço para unir várias facções feudais de seu império, o imperador romano Constantino a erradicou no Concílio de Niceia. Para podermos realmente compreender o conceito da reencarnação, precisamos abandonar as restrições preconcebidas de tempo e espaço lineares que limitam o nosso mundo tridimensional. No mundo espiritual, o passado e o futuro não existem, só existe o presente. Passado, presente e futuro coexistem, e por essa razão decisões tomadas na nossa vida atual afetam nossas vidas passadas e futuras.

Planejando a sua próxima vida

Quando uma alma decide reencarnar na Terra, ela se encontra com dois níveis de seres distintos. O primeiro é formado por um grupo de guias que podem tê-la acompanhado durante muitas vidas ou serem totalmente novos. O segundo é formado por um Conselho de Anciãos ou mestres professores – o mesmo grupo que ela encontrou quando retornou à sua casa espiritual. Os dois grupos a ajudam a elaborar seu próximo plano de vida e a auxiliam a compreender as experiências necessárias ao seu crescimento. Para que a alma possa galgar a escada espiritual, todos os ingredientes essenciais são planejados para a próxima vida.

Após analisar os vários fatores relacionados à sua evolução, a alma e seus guias decidem o momento e o lugar perfeitos para a próxima encarnação. Eles pré-visualizam vários cenários de vida e escolhem o mais adequado. De acordo com o Dr. Michael Newton, especialista em fases entre vidas, e o Dr. Jan Stevenson, especialista em regressões a vidas passadas, ambos com extensas pesquisas nessa área, essa pré-visualização pode ser feita de várias maneiras. Para compreender isso com a nossa mente humana, imaginemos essa pré-visualização como se a alma fosse capaz de ver uma possível vida com lentes em três dimensões e técnicas fotográficas que lhe permitissem observar vários ambientes e condições. Outra maneira de uma alma pré-visualizar uma vida é entrando em um tipo de ambiente grande onde existem múltiplas telas que projetam vidas diferentes com vários tipos de pessoas e lugares. A escolha de uma nova vida leva em consideração muitos fatores – as metas que a alma quer alcançar, os padrões cármicos e os débitos que ela quer anular, bem como os ambientes culturais e físicos que ela quer experimentar. Todos esses fatores exercem grande influência na escolha de uma alma. A minha teoria sobre as experiências de déjà-vu – a sensação de deparar com algo já conhecido – é de que elas podem ter como origem essa pré-visualização entre vidas. Nesse caso, a pessoa "re-vive" aquela experiência que viu projetada na tela durante o processo de seleção da vida.

Mesmo com toda a ajuda e orientação das almas consortes e dos guias, às vezes uma alma não faz tudo o que precisa enquanto se prepara para a sua próxima reencarnação. A alma pode se apressar para voltar ao plano terrestre e reencarna logo após ter chegado ao plano espiritual. Lembre-se de que as almas têm livre-arbítrio. Elas podem fazer o que quiserem, mesmo que o panorama não lhes seja favorável. Foi o que aconteceu a essa alma jovem que retornou à Terra antes do momento ideal.

O 13 da sorte

A próxima história foi enviada ao meu site por uma mãe que estava presente em uma demonstração que fiz no Arizona.

Minha amiga e eu chegamos cedo e nos sentamos na segunda fileira. Percebi que havia escolhido a cadeira número 13. Comecei a chorar, pois me dei conta de que minha filha estava comigo. Treze era o seu número. Ela nasceu no dia 13, tatuou o número 13 no braço e deu à sua galeria de arte o nome de Lucky 13. Após o intervalo, James respondeu às perguntas da plateia. Ele parecia um pouco irritado e ficava o tempo todo olhando por cima do ombro direito.

– Só posso aceitar mais uma pergunta – ele disse. – Tenho aqui uma jovem que é muito irritante! Ela veio me procurar nos bastidores durante o intervalo e quer falar agora.

Gelei de imediato e pensei: "Michele, querida, espere a sua vez."

James continuou a descrever Michele em detalhes: uma artis-

ta que adorava os próprios cabelos, que tinha problemas financeiros e que se suicidara. Levantei a mão, mas James continuou falando. Eu compreendia cada detalhe do que ele estava dizendo.

Por fim, ele olhou para mim e perguntou:

– Qual é o nome dela?

Alguém me entregou um microfone e eu respondi:

– Michele.

– Ela está dizendo Micky...

– Sim, é como os amigos a chamavam.

– Eu a vejo se cortando num banheiro de ladrilhos pretos e brancos.

Fiz que sim com a cabeça. Não falei sobre todas as vezes que ela tinha-se cortado nem sobre as idas ao hospital para que a costurassem.

– Ela tem certa meiguice – disse James sorrindo.

– Você acabou de chamá-la de irritante, e ambas as características são verdadeiras! Minha mãe sempre usava a palavra "doçura" para descrever a Michele.

– Ela era viciada em drogas – continuou James. – Michele voltou cedo demais para a Terra, não estava pronta, achava que não se encaixava no mundo. Ela tinha problemas relacionados a maus-tratos e falta de confiança.

Mais uma vez confirmei com a cabeça.

– Quem é a Jean? – James perguntou.

– Minha mãe.

– Ela precisa parar de se preocupar.

– Eu sei. Michele e eu moramos com meus pais nos primeiros três anos da vida dela. Eles praticamente a adotaram como filha.

– Quem é Judy? A que faleceu.

– É a minha amiga Judy.

– Como foi que ela morreu?

– Da mesma maneira – respondi.

– Sim. Elas estão juntas, estão se ajudando.

Eu nem conseguia falar. Eu trazia fotografias da Michele e da Judy comigo. A irmã da Judy e eu tínhamos brincado, imaginando o encontro das duas. Elas tinham muita coisa em comum e se divertiriam juntas.

Em seguida, James disse:

– Ela está dizendo: Tats, tats, tats.

– Tatuagens – esclareci. – Ela era uma artista incrível. Quando não estava pintando, desenhava tatuagens, se tatuava e tatuava os amigos. – A cética dentro de mim se perguntava se o James estaria lendo minha mente: como ele podia saber tudo aquilo?

Então ele disse:

– Ela está me mostrando o rabo de um guaxinim. Isso lhe diz alguma coisa?

Logo apareceu uma imagem na minha mente e não pude deixar de rir alto através das lágrimas. Aquela era a maneira da Michele de zombar do meu lado cético e deixar claro que estava lá.

– Oh, meu Deus – exclamei. – Esse era um brinquedo sexual que encontrei no apartamento da Michele há alguns anos. Ela tentou me explicar o que era, mas eu não compreendia. Eu não sei o nome, mas sei do que você está falando.

– Essa jovem é despudorada – brincou James. Todos riram.

James aproveitou para falar sobre suicídio. Não consigo lembrar o que ele disse porque minha mente estava ocupada, agradecendo a Michele por me fazer rir.

Ele encerrou dizendo aquilo que eu já sabia no fundo do meu coração: que Michele estava comigo e que ela estava mais feliz do outro lado.

Há muitas razões para o suicídio, mas, no caso de Michele, foi ter retornado à Terra sem fazer os preparativos necessários. Foi por isso que ela tentou deixar a Terra tantas vezes, até finalmente conseguir. Michele foi recebida por seu grupo de almas e por seus guias espirituais. Ela aprendeu que precisará estar totalmente preparada quando chegar a hora da sua próxima encarnação.

Escolhendo um corpo

Depois de ter escolhido uma vida, a alma precisa também escolher o tipo de corpo que ela habitará no ambiente escolhido. Aqui, mais uma vez, com a ajuda de seus guias, a alma pré-visualiza uma amostra de corpos e escolhe raça, gênero e orientação sexual. Um corpo precisa ser extremamente útil à alma, ou seja, precisa ajudá-la a aprender suas lições e a alcançar as metas planejadas. Por exemplo, se uma alma precisa aprender a ter autoestima, ela poderá voltar como uma modelo maravilhosa. A lição consiste em reconhecer a beleza que existe dentro dela.

Uma alma pode achar difícil tomar consciência do seu verdadeiro valor quando todos ao seu redor a julgam apenas pela aparência. Foi isso o que senti em relação a Jennifer Love Hewitt, a atriz que fez o papel de Melinda em meu show *The Ghost Whisperer*. A imprensa foi impiedosa ao fazer comentários terríveis sobre o corpo dela. Jennifer precisaria ter uma boa percepção do seu valor interno para não sucumbir a críticas tão cruéis. Na verdade, ela não é um corpo, mas uma alma bonita. É isso que todos nós deveríamos reconhecer. Por sorte, Jennifer é suficientemente inteligente para perceber que a beleza física é apenas superficial. É uma pena que ela esteja em um ramo de negócios bastante fútil, que enxerga apenas aquilo que pode vender. Senti que aquela crítica era uma lição de alma que Jennifer tinha trazido com ela de outro período de vida – algo que ela precisava aperfeiçoar na vida atual.

Enquanto avalia possíveis corpos, a alma também precisa se inteirar da possibilidade da ocorrência de deficiências físicas ou problemas de saúde naquele corpo, para decidir se terá ou não condições de suportá-los. Informações valiosas e acumuladas em vidas passadas ficam gravadas e preservadas na memória da alma. Por fim, a alma decide sobre personalidade, oportunidades e outros pontos importantes de sua próxima experiência. Como você verá na sessão seguinte, tudo isso afeta o tipo de corpo escolhido.

Eu tenho o corpo perfeito

Scott e Linda foram a uma das minhas demonstrações num impulso. Aquela era a primeira vez que iam a um médium ou a um vidente. Simplesmente resolveram acompanhar um primo, e aquela decisão mudou suas vidas. A mente deles se abriu.

Eu tinha acabado de transmitir a um homem uma mensagem de seu falecido pai. Virei-me para beber água e, ao voltar-me para a plateia, vi um jovem ruivo manobrando sua cadeira de rodas no corredor.

"Uau!", pensei, e compartilhei minha surpresa com a plateia:

– Está aqui um adolescente de cabelos ruivos que tinha cerca de 17 anos quando morreu. Está numa cadeira de rodas.

Enquanto eu falava, o jovem manobrou a cadeira de rodas no meio de uma passagem, enquanto me enviava seus pensamentos.

– Ele está dizendo que veio ver a Linda e o Scott.

Naquele momento, o casal que estava sentado na fileira junto àquele espírito se entreolhou sem saber o que fazer.

– Vocês são a Linda e o Scott? – perguntei.

Abalado, o casal se levantou lentamente.

– Sim – respondeu o homem.

Linda se apoiou no marido e exclamou com voz estridente:

– Isso é uma loucura. Você tem certeza de que está falando conosco? – perguntou, incrédula.

Olhei diretamente para o casal.

– Vocês tinham um adolescente de cabelos ruivos que estava em uma cadeira de rodas quando morreu?

Linda começou a soluçar, enquanto Scott a abraçava e respondia as perguntas tentando conter o choro.

– Tínhamos. Era o nosso filho Clarke.

A seguir, Clarke fez algo surpreendente – uma coisa que eu poucas vezes vira em minhas sessões. Ele se levantou da cadeira de rodas, transformou-se em um maravilhoso ser de luz e se posicionou entre os pais enquanto transmitia pensamentos.

– Ele é um espírito muito bonito – eu disse emocionado, enquanto sintonizava a energia dele. – Clarke é um ser bastante evoluído, e eu me sinto honrado em trazê-lo até vocês esta noite.

– Obrigado. Nós ficamos muito gratos – respondeu Scott.

Aquele momento emocionante foi interrompido quando Linda, com toda a inocência, afirmou:

– Meu Deus, isso é verdade! Eu achava que fosse um show, mas é real. – Todos rimos.

– Bem, Linda – respondi –, o seu amor é real e foi ele que trouxe o Clarke aqui esta noite.

Clarke prosseguiu fornecendo informações e percepções espirituais.

– Ele quer agradecer a vocês por terem compartilhado esse período de vida com ele. Está me dizendo que vocês o adotaram quando ninguém mais o queria. Ele insiste: *Eu era menosprezado.*

– Sim, foi isso mesmo – respondeu Scott.

– Nós não podíamos ter filhos, mas rezamos pedindo a ajuda de Deus. Eu sabia que um dia, quando menos esperássemos, nosso filho nos encontraria, nos daria um sinal, e nós o reconheceríamos no momento em que o víssemos – disse Linda.

Clarke me mostrou outra cena.

– Vocês foram a uma agência de adoção? – perguntei. – Vejo um corredor e uma sala com fotografias de crianças nas paredes.

– Sim, nós fomos a mais de vinte delas – respondeu Linda.

– Por que tantas?

– Não tínhamos recebido o sinal – disse Linda sorrindo.

– E um dia aconteceu – acrescentou Scott. – Recebemos o sinal.

Todos os presentes estavam totalmente fascinados.

– Ele me chutou! – continuou Scott. – Nós estávamos no corredor esperando pelo administrador, quando aquele menininho ruivo veio correndo em sua cadeira de rodas, passou por cima do meu pé esquerdo e chutou meu tornozelo direito.

– Ficamos boquiabertos – interrompeu Linda. – Quando olhamos para baixo, vimos o rosto de um anjo! Nunca tínhamos visto uma criança como aquela antes. Ele era tão bonito. Soubemos no mesmo momento que era aquele que Deus tinha nos enviado.

As palavras de Linda foram interrompidas pelos pensamentos de Clarke.

– Clarke está me dizendo que ele era totalmente incapacitado.

– É verdade – disse Scott. – Ele tinha distrofia muscular, um leve retardo mental, síndrome de Tourette. Estava fora das estatísticas!

A plateia ouvia fascinada.

Linda tinha uma expressão curiosa no rosto. Ela olhou firmemente para mim e afirmou:

– Era isso que o tornava muito especial, James.

Clarke continuou enviando mais informações.

– Ele quer agradecer a vocês por terem visto a alma dele além das deficiências físicas. Quer que eu conte a vocês e à plateia que foi ele que escolheu aquele corpo físico e que o fez por muitos motivos, mas o principal foi ensinar outras pessoas a sentirem compaixão. Ele está me dizendo que qualquer um que o conhecesse ignoraria a sua deficiência física e veria apenas a sua luz.

Scott assentiu com a cabeça, e Linda disse:

– Era exatamente assim. Quem ficasse com ele por alguns minutos esquecia completamente a existência da cadeira de rodas.

– Ele também está me dizendo que vocês se escolheram para poderem progredir espiritualmente e mostrar aos outros como conseguir superar qualquer desafio. Além de ajudar a alma dele, vocês também começaram um grupo ou fizeram alguma coisa com uma escola. É isso mesmo? – perguntei.

– Sim – respondeu Linda –, nós criamos um programa escolar voltado para deficientes físicos. Qualquer professor que tenha em sua turma um aluno com algum tipo de deficiência precisa fazer esse curso para aprender como tratar essa criança. Porque elas não são vítimas, são seres humanos como todo mundo. Eu acredito que elas nos ensinam, em vez de nós ensinarmos a elas.

A plateia aplaudiu.

– Essa mulher aqui foi extraordinária – disse Scott.

Eu podia sentir o amor que ele sentia pela esposa.

Clarke me enviou outro pensamento.

– Ele tocava piano?

Linda levou as mãos ao rosto e murmurou:

– Meu Deus!

– Sim – respondeu Scott. – Linda ensinou a ele. Eu me lembro do dia em que entrei em casa e vi o Clarke tocando piano com os pés.

– Ele aprendia com muita rapidez – acrescentou Linda. – A música era a única coisa que conseguia acalmá-lo.

– Ele está dizendo que você costumava se comunicar com ele de coração para coração. Ele quer que saibam que vocês estão constantemente aumentando a autoestima e a coragem de outras pessoas. *Obrigado*, Clarke está dizendo. Olhei para o casal e acrescentei: – Ele é muito desenvolvido espiritualmente.

Clarke enviou outro pensamento que eu compartilhei com a plateia:

– A maioria das pessoas com deficiências físicas são almas desenvolvidas. Apenas uma alma dotada de grande compreensão aceitaria enfrentar tais desafios.

Mais tarde, passei mais alguns momentos com Scott e Linda. Ele me revelou a origem da compaixão que os movia. Ambos eram professores do ensino fundamental que adoravam crianças e tinham entre seus alunos alguns dos jovens mais desafiadores. Linda instituiu, no currículo escolar, jogos e esportes específicos que utilizam o cérebro e as funções motoras para aumentar a compreensão.

– Nossas crianças sempre tiram as notas mais altas – disse Scott, exultante. – Até Linda pôr os programas em ação, muitas pessoas não tratavam as crianças portadoras de deficiências físicas como seres humanos. Linda é uma das mais respeitadas e reverenciadas professoras do distrito escolar.

Compreendi a razão daquilo. Scott e Linda tinham-se entregado de coração e alma às crianças com deficiências e talvez as tivessem ajudado a sentir amor pela primeira vez na vida. Naquela noite eu estive na companhia de alguns anjos muito especiais.

Hora de reencarnar

Muitas pessoas querem saber quanto tempo depois da morte uma alma reencarna. Dez anos? Duzentos anos? A resposta é: depende de cada uma. A alma decide retornar à Terra após analisar a utilidade dos fatores e dos elementos – entre eles a de encontrar o corpo ideal, a localização geográfica correta, os pais adequados, etc. Lembre-se de que no plano espiritual o tempo é relativo. Algumas almas evoluem rapidamente e tendem a retornar mais rapidamente do que outras. É importante compreender que a reencarnação não é uma punição por erros cometidos em vidas passadas. Sim, nós voltamos e de fato vivenciamos o carma, mas, além das almas que retornam para aprender, muitos espíritos iluminados, seres evoluídos e mestres reencarnam também e voltam para demonstrar amor e compaixão pelos outros. Logo que comecei a me comunicar com o mundo espiritual, percebi que os espíritos às vezes esperam séculos antes de se aventurarem a voltar para a Terra. Mas, quando a energia do plano terrestre começa a acelerar, as almas se mostram mais ansiosas para retornar por causa das oportunidades de expansão e das experiências de que poderão participar.

Não é incomum que uma alma leve muitos anos planejando, revendo seu gráfico de vida e trocando ideias com seus guias para decidir qual o momento mais oportuno para retornar. Uma alma não analisa apenas os fatores do seu próprio gráfico para tomar essa decisão. Ela analisa também os de suas almas consortes, aquelas com quem estará compartilhando uma nova experiência de vida: pais, irmãos, professores, amigos, parceiros e colegas de trabalho.

Como Shakespeare escreveu:

O mundo é um palco onde os homens e as mulheres são
meros participantes;
Eles têm seus momentos de entrada e de saída;
E um homem, em seu tempo, desempenha muitos papéis...

No seu próximo drama, para que tudo seja encenado do jeito previsto, você precisará encontrar o elenco ideal e colocá-lo no lugar apropriado e no momento certo. E, dependendo do nível de excelência dos atores – e de seu desempenho, porque sempre há o livre-arbítrio –, a peça sairá como foi planejada ou se desviará do curso previsto. Isso não deve ser motivo de preocupação. Mesmo que o cenário comece a desabar ao seu redor, mantenha-se fiel ao seu script e sobretudo não comece a declamar a fala dos outros. Quando todos os elementos de uma nova vida são colocados em seus devidos lugares e a alma percebe a sua potencialidade, ela está pronta para reencarnar.

O momento certo

Quando estava pensando em escrever sobre a reencarnação, essa história me veio à mente. Ela começa com um casal maravilhoso, Ann e Arnold Singer. Aqui, nas próprias palavras de Ann, está um exemplo de uma alma aguardando o momento certo para retornar. Eis o que ela relata:

Eu sempre soube que quando fosse ter um filho haveria alguma coisa diferente, mas não conseguia compreender o que isso significava exatamente. Na realidade, eu tive 28 anos para entender, porque foram 28 anos tentando engravidar por métodos convencionais e não convencionais e 17 tentativas de fertilização in vitro até finalmente conseguir engravidar. Aprendi a ter paciência enquanto buscava a minha meta. Vinte e oito anos é um período muito longo, mas acho que demorou todo esse tempo para que eu aprendesse tudo de que precisava.

Primeiro, eu precisava de tempo para alcançar uma posição emocional, financeira e espiritualmente segura, além de muito tempo livre para poder me dedicar por inteiro ao meu bebê. Durante esses 28 anos desenvolvi sabedoria, capacidade de gratidão e um elevado nível de compreensão. Aprendi a ser persistente, a nunca desistir. Aprendi a confiar nas minhas esperanças e nos meus sonhos como parte do meu destino. Foi o meu sonho que me manteve focada. Entendi que, para realizá-lo, eu precisaria aprender a aceitar, ceder e ser mais flexível no meu modo de pensar. Embora sempre tivesse sido bem-sucedida em tudo o que fazia, aquilo estava completamente fora do meu controle. Como nada parecia dar certo, aprendi a viver plenamente, a ter disposição para assumir riscos e a entrar no vazio do desconhecido. Aprendi a desenvolver a compaixão. Carregamos dentro de nós algo muito doloroso e por isso não podemos comparar a dor e a tristeza de uma pessoa com a de outra. Finalmente, aprendi que cada um de nós precisa percorrer uma jornada, até mesmo o bebê que ainda vai nascer.

No momento em que efetuei essas imensas mudanças internas, percebi que a dificuldade de engravidar fazia parte da "minha jornada", e quando aceitei a força do destino as coisas começaram a mudar. Até que um dia ouvi uma voz dentro de mim: Tente mais uma vez. *Eu soube de imediato que aquilo significava tentar engravidar de novo. Conversei sobre isso com Arnold e concordamos em tentar mais uma vez – e apenas uma única vez – naquela etapa tardia de nossas vidas. Eu tinha certeza de que daquela vez daria certo. E, enquanto pensava sobre a minha decisão, tive uma visão: vi um homem jovem caminhando na minha direção, um magnífico guerreiro vestindo um manto vermelho e uma couraça reluzente. Ele me disse seu nome e eu soube que aquele homem seria o meu filho.*

Nos anos anteriores, sempre ocorriam problemas durante os tratamentos – atrasos nas consultas, interrupções técnicas, erros de laboratório. Sempre havia alguma coisa errada, e eu temia ter de passar por tudo aquilo de novo. Dessa vez, no entanto, foi diferente: tudo simplesmente fluiu. Um dia, antes da concepção, vi um par de olhos me observando enquanto meditava. Embora fossem amigáveis e sorridentes, eram olhos muito velhos e sábios. Em seguida pude ver um rosto e um corpo, e, embora aquele ser estivesse vestindo um manto longo e branco, não se parecia com nenhuma pessoa aqui da Terra. Eu sabia que aquela entidade estava ali por causa do bebê, e por isso lhe perguntei: "O que preciso fazer por essa criança especial?" Ele simplesmente respondeu: "Ame-a".

A concepção foi tranquila e a gravidez, fácil e sem qualquer problema, assim como o nascimento. Era um bebê perfeito em todos os aspectos. Ele veio no momento certo para nós e para ele. Alguns meses depois fui a uma consulta médica e, como era inverno, agasalhei bem o bebê. Quando entrei na sala de espera, um menino de cerca de 12 anos levantou-se, colocou-se em posição de sentido e fez uma saudação na frente de todo mundo. Disse em voz bem alta: "Ele está aqui. Ele voltou. Ele voltou do futuro para estar conosco." O menino permaneceu em posição de sentido enquanto passávamos e só depois voltou a sentar-se. Eu me perguntei como ele sabia que o meu bebê todo envolto em mantas era um menino. Fiquei impressionada com a naturalidade e espontaneidade do seu gesto, sem qualquer inibição, na frente dos outros ocupantes da sala.

Isso me fez entender que aquele era o momento certo para a alma do nosso bebê estar conosco. Nós éramos mais velhos, estávamos financeira e emocionalmente seguros e tínhamos todo o amor e tempo para dedicar ao nosso filho.

Pouco antes de o bebê ser concebido, tive outra visão. Nela, o meu filho me disse seu nome. Embora fosse um nome desconhecido para nós, confiamos na minha visão e lhe demos esse nome. Aprendi depois que o nome vem de uma língua antiga e significa "aquele que retornou".

Ann estava com cinquenta e poucos anos quando seu filho nasceu. O menino continua a crescer, a ficar mais sábio e saudável a cada dia que passa.

O retorno

Parece que, antes de voltar para a atmosfera terrestre, a alma se apresenta ao Conselho de Sábios ou Mestres uma última vez. O Conselho reitera as muitas lições que a alma precisará aprender em seu próximo período de vida. De certa forma, esses mestres ratificam o contrato espiritual com a alma e gravam na sua memória a importância de realizar seu trabalho.

Como o Dr. Michael Newton assinala em seu livro *Journey of Souls* (Jornada das almas), se uma alma olhasse o processo do retorno de um ponto de vista terrestre talvez não retornasse. Esse não é um conceito fácil de ser compreendido, mas lembre-se de que tudo é energia. Quando uma alma retorna e atravessa os níveis de dimensões, ela o faz como energia. A energia é composta por ondas de moléculas que estão sempre em movimento. Na morte, quando uma alma passa por uma série de campos energéticos para reentrar no mundo espiritual, ocorre uma transição similar, só que em sentido contrário. A alma entra numa sala de espera onde avista diversos túneis de luz. E, assim como foi atraída para a luz ao deixar o corpo, ela mais uma vez se sente impelida e inspirada a escolher um determinado túnel de luz para o seu retorno.

Quando a alma entra nesse túnel, ela é envolvida por uma energia espiritual que tranquiliza a sua essência. Como a reentrada pode ser confusa e perturbadora para a alma, essa energia espiritual a ajuda a permanecer no rumo durante todo o processo até o nascimento. Enquanto esse processo ocorre, a alma sente a força das emoções humanas serem acumuladas em cima dela. Esse é o peso que ela sente ao entrar em um corpo físico. Após todas as camadas de emoções humanas serem integradas à sua essência, a alma entra no útero da mãe. A seguir, ocorre o lento processo em que a energia da alma se mistura ao seu novo corpo físico. No meu livro *Em busca da espiritualidade* explico em detalhes como uma alma paira sobre um embrião, influenciando a mãe e verificando seu novo corpo.

O Vale do Esquecimento

À medida que a alma se integra com seu recém-formado corpo físico, a influência da esfera de luz diminui e ela atravessa aquilo que é conhecido como Vale do Esquecimento, também chamado de rio Letes (na mitologia grega, o rio do esquecimento). A palavra Letes tem a mesma raiz de *letargia*, que significa estado de sonolência. É por isso que não nos lembramos das nossas identidades espirituais. Alguns dizem que esse tipo de "amnésia" é um presente que Deus nos dá por dois bons motivos: primeiro, se soubéssemos tudo sobre nossas vidas passadas e sobre as atrocidades que sofremos ou fomos capazes de cometer, passaríamos todo o tempo obcecados com o passado, em vez de nos dedicarmos às nossas lições de alma atuais. Segundo, se soubéssemos a resposta para cada problema que precisamos enfrentar, não conseguiríamos evoluir espiritualmente. Embora a memória da alma possa estar escondida em nossa mente racional consciente, os padrões de pensamento da alma estão sempre tentando fazer com que o cérebro se comporte de uma determinada maneira. Isso foi o que aconteceu em uma recente demonstração em um centro espírita, quando o espírito de um homem nos surpreendeu com a sua recém-descoberta compreensão. Ao falar sobre a vida que tinha deixado havia pouco tempo, ele se descreveu como alguém que criticava e julgava os outros com muito rigor. Antes de morrer, ele desenvolveu um câncer de garganta e teve de fazer uma laringotomia. A cirurgia deixou uma cicatriz bem visível em sua garganta. Ele nos surpreendeu ao afirmar: *As palavras têm poder, e quando retornar para a minha próxima vida manterei a cicatriz para me lembrar de falar com amor e respeito.*

Enquanto a alma entra e sai do corpo, ela continua a se conectar com os padrões de ondas cerebrais para se certificar que seu corpo está crescendo de acordo com o plano. A alma não entrará no feto até os últimos meses da gravidez – e, mesmo então, ela poderá entrar e sair do corpo até três meses após o nascimento. A alma delicadamente se amalgama com a mente e expande sua memória por todo o corpo. Enquanto faz isso, ela relaxa o corpo físico da criança e determina um curso de ação para depois do nascimento. Por volta dos seis anos, a passagem pelo Vale do Esquecimento terá sido concluída e a criança não se lembrará mais das suas origens espirituais.

A última parte deste livro se concentra na forma como pais e filhos se conectam. Ela apresenta maneiras pelas quais podemos curar a dor e o sofrimento causados pela perda de um filho e descreve a imortalidade do amor. No próximo capítulo, descrevo como as crianças entram em contato com seus pais e seus entes queridos.

TERCEIRA PARTE

Curando a sua vida

sete

PLACAS DE AVISO DO MUNDO ESPIRITUAL

Se você pudesse apenas manter-se quieto,
sem lembranças e expectativas,
iria conseguir discernir o belo padrão dos acontecimentos.
É a sua agitação que causa o caos.
– Sri Nisargadatta Maharaj

Após anos de interação com o outro lado da vida, descobri que os espíritos estão constantemente tentando entrar em contato com os vivos. A maneira mais óbvia é através do pensamento. Quase sempre, quando você pensa em seu ente querido, ele está por perto. Em geral, o espírito projeta um pensamento na sua mente. Você poderá pensar: "Gostaria de saber como a minha filha está." Na realidade, você está captando a transmissão do pensamento dela. Frequentemente pergunto às pessoas da plateia: "Quantos de vocês pensaram em membros da sua família já falecidos enquanto dirigiam seus carros ou preparavam o jantar?" Todas levantam as mãos, pois a maioria já teve esse tipo de experiência pelo menos uma vez. Os espíritos tentam nos mostrar de todas as maneiras possíveis que ainda são uma parte da nossa vida.

Todas as pessoas nascem com um sexto sentido, ou intuição, mas a maioria não o utiliza. Intuição significa "língua da alma". As nossas almas se comunicam diretamente conosco através da intuição. Quando você fica atento ao que a sua intuição lhe transmite, passa a perceber o mundo espiritual com muito mais clareza. Ao se tornar mais sensível a esse sexto sentido, você saberá quando seus entes queridos estão próximos. Como médium, apurei meu intuitivo sexto sentido com anos de prática e meditação diária. Como somos todos seres eletromagnéticos, falamos a mesma língua.

A meditação

A maioria das pessoas reza. A oração é uma forma de pedir alguma coisa. A meditação, por outro lado, é uma maneira de ouvir. Assim como a contemplação, ela é um estado de consciência ou de concentração focalizada. Às vezes passamos um dia inteiro totalmente alheios ao que está acontecendo à nossa volta. Nossa mente se perde em devaneios, pensando no futuro ou revivendo o passado, e por isso deixamos de viver e de sentir plenamente o momento presente. Pense apenas no número de vezes em que, ao assistir à televisão, ler um livro, ou fazer qualquer outra atividade, você perdeu algo importante porque a sua mente estava longe. Como seres energéticos que somos, todos nós passamos por vários níveis de consciência ao longo do dia.

Durante a meditação, você manda a sua mente se comportar de uma certa maneira. Você se concentra no seu ritmo respiratório, numa palavra ou numa frase e, sempre que a sua mente começa a divagar, retorna à respiração ou àquela determinada palavra ou frase. O principal objetivo de qualquer meditação é focalizar a sua atenção naquilo que está acontecendo dentro e fora de você. A meditação focalizada é a arte de manter-se profundamente atento a um momento específico. Imagine-a como uma limpeza mental em que você descarta todos os pensamentos que passam por sua mente para se concentrar em uma única palavra, uma única frase ou em seu ritmo respiratório. Tente fazer isso por um minuto. Permaneça sentado em silêncio e concentre-se na sua respiração. Quando fizer isso, você começará a sentir uma total serenidade dentro e fora de você. Quando sua mente está calma e desobstruída, o mundo espiritual consegue chegar a você facilmente. A meditação é muitas vezes descrita como o ato de "permanecer sentado em silêncio". Sempre que você quiser alcançar o mundo espiritual a partir deste lado da vida, comece sentando-se em silêncio.

Eu sempre incluo uma meditação nas minhas demonstrações e seminários. Acho muito importante por dois motivos: em primeiro lugar, essa prática deixa os membros da plateia mais tranquilos. Alguns podem ter vindo ao evento com ideias preconcebidas, medos, expectativas e negatividade. Em segundo lugar, a meditação aumenta a nossa vibração e nos aproxima da vibração do mundo espiritual. Isso facilita a vinda dos espíritos. Imagine o contato espiritual como a tentativa de aterrissar um avião no escuro. Na meditação, a sensação é de que você acendeu as luzes da pista.

Para obter o melhor resultado possível com a meditação, é importante escolher um cômodo vazio da casa e um horário em que não será perturbado. Faça isso regularmente. Você não estará apenas marcando um compromisso consigo mesmo, mas estará deixando o mundo espiritual saber que aquele é o momento para se encontrarem. Sei que essa regularidade não é fácil, mas garanto que será extremamente benéfica. Vários pensamentos irão atravessar sua mente durante a meditação. Tome consciência deles, desapegue-se e retome a atividade –

respiração, repetição de frases ou palavras – em que estiver se concentrando.

A meditação da ponte do arco-íris

Como, para mim, é impossível transmitir uma mensagem a todas as pessoas presentes em uma plateia numerosa, desenvolvi alguns tipos de meditação para fazerem quando puderem. O próximo tipo de meditação é excelente para alguém que queira entrar em contato com um ente querido ou receber sinais dele.

Escolha um cômodo ou um local silencioso onde você não será perturbado por, pelo menos, 15 minutos. Sente-se em uma cadeira confortável e mantenha as costas eretas e apoiadas no espaldar. Você poderá ter uma música de fundo suave, algo que não perturbe a sua experiência. Prepare o ambiente para um encontro especial. Feche as janelas e desligue a televisão, o telefone celular ou quaisquer outros aparelhos que causem distrações. É muito útil ter um bloco de papel e uma caneta à mão para poder anotar quaisquer percepções, mensagens ou sinais que o espírito lhe enviar.

A seguir, feche os olhos e se concentre no seu corpo. Reconheça mentalmente cada parte dele. Comece pela cabeça e percorra todo o resto – pescoço, ombros, costas, braços, mãos, peito, estômago, pernas –, terminando nos pés. Quando tiver completado essa parte, concentre sua atenção na respiração, inspirando e expirando lentamente. Imagine um feixe de luz dourada vinda do longínquo cosmo entrando no seu corpo. Essa luz dourada (ou, como gosto de chamar, o "feixe de Deus") penetra no seu corpo pelo alto da cabeça durante a inspiração. Imagine essa luz o inundando, misturando-se a cada célula do seu corpo, iluminando cada músculo, veia e órgão. O espírito é luz, e o objetivo aqui é aumentar a sua vibração para aproximá-lo o máximo possível desse nível de luz. Para isso, você precisará liberar aquelas partes mais pesadas que estão presas dentro de você. Ao expirar, imagine a energia escura saindo pelas pontas dos seus dedos das mãos e dos pés e caindo na terra. A Mãe Terra absorverá essa energia escura e a transformará em amor.

Em cada movimento respiratório, a luz dourada o inundará e expelirá qualquer energia velha ou sujeira que você não precise mais carregar. Depois de vários movimentos respiratórios de limpeza, imagine essa luz dourada saindo pelo topo da sua cabeça, girando sobre você, formando um arco-íris de cores – vermelho, laranja, amarelo, verde, azul, roxo, índigo e dourado. Como cada cor tem uma vibração de energia específica, sinta e absorva o valor e a característica de cada cor. Após alguns minutos, veja essas cores retornando para o cosmo. Imagine-as indo para um espaço distante onde começarão a criar uma ponte. É uma ponte muito especial, pois foi construída com as luzes do seu arco-íris. Crie cada detalhe da ponte, até os detalhes das vigas de suporte e da pavimentação. Quando a ponte começar a brilhar, a sua criação estará concluída.

Em seguida, comece a caminhar pela ponte. Se houver alguma névoa, atravesse-a simplesmente. Quando chegar ao centro da ponte brilhante e iluminada, você começará a ver os espíritos das pessoas queridas diante de você. Eles se projetam para que você possa ter uma experiência com eles. Isso é real. Ao se aproximar para abraçá-los, sinta a energia e a personalidade deles. Você poderá até falar com eles e lhes fazer perguntas. Talvez se surpreenda com o que eles têm a dizer, mas não faça julgamentos. Usufrua apenas a experiência e ouça com o coração. Eles poderão lhe dizer o que olhar ou escutar no futuro, para que você saiba que estão próximos. Talvez não consiga vê-los, mas poderá sentir sua energia. Receba a energia do jeito que ela se manifestar. Você poderá querer anotar aquilo que eles lhe disserem.

Quando tiver terminado a sua jornada, volte o seu foco de atenção para os seus pés e para o resto do seu corpo. Mova a sua atenção dos pés para as pernas, para o ventre, o estômago, o peito, os ombros, o pescoço, as costas e finalmente para a cabeça. Você provavelmente sentirá uma diferença no corpo ou notará que alguma coisa mudou de posição nele. Esse tipo de meditação é uma ferramenta maravilhosa para curar o corpo, a mente e o espírito.

Sonhos

Os espíritos querem interagir conosco constantemente, e alguns se comunicam melhor do que outros. Uma das melhores maneiras utilizadas por eles para nos fazer saber que estão por perto é através de nossos sonhos. Esse é o método mais comum usado por espíritos crianças para nos transmitir mensagens. Os sonhos funcionam por diversos motivos. Em primeiro lugar, eles surgem durante o sono, um estado subconsciente em que a parte racional e crítica da mente está temporariamente suspensa. Por conseguinte, estamos mais receptivos às dimensões invisíveis e podemos nos misturar com mais facilidade às energias das almas daqueles que já morreram. Em segundo lugar, durante o sono, nosso corpo espiritual deixa o invólucro do corpo físico e viaja pelo mundo sideral. Isso é conhecido como viagem astral. No mundo sideral, podemos nos conectar com nossos entes queridos já falecidos, com nossos guias espirituais e com nosso grupo de almas. Todos sonhamos com entes queridos já falecidos. Por parecerem muito reais, eu chamo esses sonhos de "interseções". As cores são vibrantes, os entes queridos se comportam de maneira normal, e, diferentemente dos sonhos comuns, esses sonhos acontecem em ordem cronológica, como se tivéssemos entrado em uma fase da vida.

Nos meus sonhos, recebo mensagens de familiares e amigos já falecidos com bastante frequência. No início dos anos 1990 perdi um grande amigo, o John. Ele era uma verdadeira alma gêmea e foi meu mentor durante o tempo em que vivi em Los Angeles. John ensinava numa escola em Fort Lauderdale e me visitava nos recessos escolares e nas férias de verão. Passávamos horas, às vezes dias, conversando sobre a minha mediunidade e sobre assuntos metafísicos. John se mostrou um tanto cético quando lhe falei da minha futura carreira como médium. Ele tinha um grande senso de humor e prometeu vir me assombrar quando morresse. Alguns meses depois de sua morte, ele veio me ver em um dos sonhos mais nítidos que já tive na vida.

Eu estava me levantando da cama quando ele me chamou da cozinha para ir tomar café da manhã. Nós dois vestíamos roupões, e eu estava sentado à mesa observando-o enquanto ele fritava ovos. Lembro-me de ter questionado a realidade do sonho e de ele me dizer brincando: "Eu tinha que fazer desse jeito, porque é a única maneira de você acreditar que estou ao seu lado." Em seguida, me perguntou: "Que tipo de chá você quer?" Aquilo parecia muito real, porque era daquele jeito que interagíamos todas as vezes que ele vinha me visitar. Quando John abriu o armário da cozinha, pude ver claramente os detalhes de cada caixa de chá, até mesmo o papel que envolvia cada saquinho. Escolhi um chá chamado Ânimo, e logo depois acordei. Mais tarde, naquele dia, enquanto recordava cada detalhe do sonho, compreendi que John estava tentando me ajudar a superar a sua morte, que tinha sido muito difícil para mim. Tudo de que eu precisava era exatamente aquilo que ele estava servindo – um pouco de ânimo.

Há cerca de dez anos recebi da minha mãe outra mensagem bem nítida em um sonho. Embora ela já tivesse morrido havia algum tempo, no sonho eu me vi em seu velório. Eu estava ajoelhado, rezando em frente ao caixão, sofrendo muito. Depois me levantei e comecei a me afastar. Quando me virei para olhar uma última vez, minha mãe pulou no caixão como um boneco de molas, sentou-se e riu de mim. Fiquei completamente chocado e perturbado. Quando acordei, compreendi que ela tentava me dizer que não estava morta, que era tolice achar que uma pessoa realmente morre.

Energia elétrica

A eletricidade é outro método muito comum usado pelos espíritos para entrar em contato conosco. Como tudo é constituído de energia eletromagnética, os espíritos concentram seus pensamentos e manipulam o campo eletromagnético que circunda vários equipamentos elétricos. Dessa maneira, eles conseguem ligar ou desligar qualquer objeto que utilize eletricidade – eletrodomésticos, lâmpadas, televisões, computadores, rádios, fornos de micro-ondas, telefones celulares, carros, portas de garagem, luzes das ruas, campainhas, etc. Algumas coisas são mais facilmente manipuláveis do que outras. Ou talvez um espírito saiba mais a respeito de um determinado assunto. Muitas vezes, os espíritos manipulam o rádio para comunicar-se com um ente querido através de uma canção especial. Em eventos para autografar livros, ou em seminários, muitas pessoas me contaram que de repente, no meio da noite, enquanto dormiam, a televisão apareceu ligada, mostrando uma repetição do meu show *Beyond*. Elas disseram que souberam imediatamente que aquele era um sinal enviado por um ente querido já falecido. O interessante é que muitas pessoas disseram que o segmento do show que estava sendo mostrado era sobre uma situação de morte semelhante à vivida por seu ente querido. Espíritos são também conhecidos por queimarem lâmpadas e mexerem em câmeras e gravadores. São também famosos por acabarem com a carga das baterias. Inúmeras vezes precisei advertir a equipe de áudio de uma gravação para ter baterias extras à mão.

Percepção olfativa extrassensorial e calafrios

Sentir um perfume de flores frescas, de cigarro, de charuto ou de uma loção pós-barba, quando eles não existem de fato, é um fenômeno mediúnico chamado de percepção olfativa extrassensorial. Os espíritos projetam esses cheiros para nos chamar a atenção. De modo geral, os cheiros estão diretamente relacionados a eles. Uma cliente me contou que ela sabe que o filho está por perto quando o cheiro de pipoca recém-feita invade um cômodo da casa, porque ele adorava pipoca. Outra mulher disse que, durante o primeiro ano depois da morte de sua filha, ela frequentemente sentia seu perfume favorito na casa. As duas mulheres se sentiam confortadas por saber que seus filhos ainda estavam por perto.

Sentir tremores ou calafrios em um cômodo da casa, mesmo quando o aquecimento está ligado, pode ser outro sinal de que um espírito está perto. Durante esses anos de trabalho, o fenômeno dos calafrios tem sido um tema recorrente nos meus círculos de desenvolvimento espiritual. Não é incomum os participantes sentirem metade do corpo ficar fria quando os espíritos entram no círculo. Recebi cartas de muitos pais que disseram sentir calafrios quando se sentam na cama do filho morto.

Fotografias, semelhanças e palavras

Utilizar fotografias é outra maneira de os espíritos se fazerem perceber, embora não seja algo tão fácil quanto você possa imaginar. Quando um espírito deseja se mostrar em uma fotografia, ele precisa levar em consideração diversos fatores: as condições atmosféricas, a sua capacidade de concentrar o pensamento em uma frequência muito baixa, saber projetar sua energia para o magnetismo da câmera e a mente do fotógrafo. Às vezes, o fotógrafo tem alguma mediunidade não desenvolvida que um espírito pode utilizar para se manifestar em uma fotografia. Quando tenta esse tipo de comunicação, um espírito pode mostrar tanto o seu rosto como seu corpo inteiro.

Sabe-se que, dependendo das circunstâncias e das condições, os espíritos projetam sua energia para aparecer como esferas de luz. Esses orbes, como são chamados, podem variar de tamanho, forma e cor. Recentemente, quando estive em Washington com minha amiga Joerdie, fomos visitar o Ford Theater, onde o presidente Lincoln foi assassinado. Sentei-me em uma cadeira na plateia e convidei meus amigos espíritos e guias a se aproximarem de mim. Em seguida, pedi a Joerdie que me fotografasse. Uma grande quantidade de orbes apareceu na fotografia. Ficamos surpresos, mas eu sabia que Joerdie é também uma grande médium.

Os espíritos podem também estar enviando um sinal quando imprimem seus traços físicos em uma pessoa viva. Você pode estar em qualquer lugar quando, de repente, para e olha para uma determinada pessoa que se parece muito com um ente querido que já se foi. Isso aconteceu comigo muitas vezes em demonstrações. Ao olhar para a plateia, eu inevitavelmente vejo várias pessoas que se parecem muito com membros da minha família e com amigos que estão no mundo espiritual.

Outro sinal comum é aquele transmitido por meio de palavras. Alguém pode empregar uma palavra ou uma frase que um ente querido usava, exatamente da mesma maneira. O sinal da minha mãe era a expressão "lua azul". É impossível dizer quantas vezes essa expressão foi dita durante conversas em que ela não tinha qualquer relação com o que estava sendo discutido, ou era algo muito diferente do que a pessoa normalmente diria.

Materializações e sinais fornecidos por animais

Quantas vezes você deixou as chaves do carro ou a carteira fora do lugar? Quando finalmente as encontra, você se pergunta como elas foram parar ali. Isso aconteceu comigo durante anos, até que uma médium finalmente esclareceu o mistério, dizendo que eu tinha junto a mim um grupo de espíritos crianças brincalhões que se divertiam escondendo minhas coisas. Na linguagem mediúnica, isso é conhecido como "materializações", ou seja, objetos se desmaterializam em um lugar e se materializam em outro. Mover objetos é difícil, o que significa que, para conseguir, um espírito precisa desenvolver essa habilidade e praticá-la regularmente.

Os espíritos também usam animais e outras criaturas para se comunicarem conosco. Você alguma vez viu uma borboleta, um pássaro ou uma libélula e achou que era sinal de que seu filho ou sua filha estava por perto? Essa é uma das perguntas mais comuns que me fazem. Eis o que eu acho sobre esse fenômeno: um espírito que esteja próximo pode projetar um pensamento sobre si mesmo para você no momento exato em que aparece uma borboleta, um pássaro ou uma libélula, fazendo-o imediatamente associar o pássaro ou o inseto ao ente querido e pensar que é ele. Eu sei também que um espírito consegue manipular o voo de um pássaro ou de uma borboleta.

Uma mulher me escreveu para falar sobre sua filhinha que tinha morrido com apenas quatro semanas de idade. "O único momento em que fico bem é quando recebo pequenos sinais dela. Como eu estava me sentindo triste, fui ao cemitério, procurando ficar perto da minha filha. Disse que esperava que ela tivesse encontrado os meus avós, porque eles eram maravilhosos. Quando estava colocando rosas em sua sepultura, vi uma bonita joaninha entre as flores. Como faz frio e chove muito na minha cidade, eu sabia que o período das joaninhas tinha acabado. Mas as joaninhas eram os insetos favoritos da minha avó, e antes de morrer ela me disse para procurá-las como um sinal de sua presença. Aquilo trouxe um pouco de luz para o meu dia. Posso imaginar meus avós segurando e afagando minha filhinha lá onde estão."

Histórias desse tipo são bastante comuns. Os espíritos também usam nossos animais de estimação para se comunicarem conosco. Às vezes, você vê um gato olhando firme para o espaço ou miando por nada. Uma mãe escreveu dizendo que o filho dela, Raymond, que morreu em um acidente de carro, brinca com sua cachorrinha. "Ele a visita com frequência. De repente, ela abana o rabo freneticamente, late na direção de alguma coisa invisível e, embora esteja velhinha, abaixa-se sobre as patas dianteiras como se fosse brincar. Nesses momentos sabemos que o Ray veio vê-la."

Símbolos

Os espíritos podem usar qualquer tipo de sinal ou símbolo para manifestar sua presença. Lembro-me muito bem da ocasião em que dirigia pelo norte do estado de Nova York, a caminho da cidade natal de minha mãe. Enquanto dirigia, eu me perguntei se ela sabia que eu era médium, porque minha mãe morreu antes de eu me envolver com essa atual linha de trabalho. Naquele momento, um caminhão enorme mudou repentinamente de pista bem na minha frente e eu fiquei surpreso ao ver o nome da empresa, McLane, escrito no caminhão. Aquele era o sobrenome de solteira da minha mãe. Olhei para o céu e disse: Obrigado!

Minha amiga Joerdie vem recebendo manifestações de seu filho, Ian, desde que ele morreu em 1997. Um dia desses, ela me telefonou, exclamando: "Meu Deus! Você não vai acreditar no que acabou de acontecer!" Ao notar que o vidro da janela estava embaçado, Joerdie se aproximou para limpá-lo e viu letras se formando. Primeiro um I, depois um A e finalmente um N. Ela começou a rir, olhou para o céu e falou brincando para o filho: "Ah-ah! O que mais você vai me mandar?" Logo em seguida um coração se formou junto às letras. Esse mesmo sinal apareceu outras cinco vezes, até com mais enfeites. De que outra forma o filho poderia dizer que a ama?

Os espíritos usam adesivos de carros, placas de anúncios, propagandas coladas em paredes do metrô, revistas, manchetes de jornais e todos os tipos de maneiras para transmitir uma mensagem. Se você não recebe sinais de seus entes queridos, não se preocupe. Embora haja muitas coisas acontecendo no céu com as crianças, elas entrarão em contato com você de uma maneira ou de outra.

Uma aluna excepcional

A próxima história foi contada por uma mulher que compareceu a uma demonstração em Toronto. Ela escreveu para me contar sobre um sinal incrível que recebera de quem menos esperava.

Prezado James,

Venho pensando em escrever para você há algum tempo. Durante uma sessão realizada aqui em Toronto, você se concentrou em uma família que tinha perdido uma criança. Aquelas pessoas estavam sentadas perto de mim e da minha filha. De repente, você perguntou: "Quem é a Susie?" Ninguém reconheceu o nome, e você continuou. Eu não quis interrompê-lo para dizer que a mensagem talvez fosse para mim, mas imaginei o que a Susie teria dito se eu tivesse me manifestado.

Deixe-me explicar sobre a Susie. Eu sou professora primária aposentada, e Susie era uma aluna muito especial. Ela sofria de um tipo muito grave de paralisia cerebral, era totalmente deficiente e se alimentava por um tubo. Um funcionário do hospital a adotou, e ela se tornou um importante membro da família dele. Foi integrada a uma turma regular e para mim era apenas mais uma aluna. Nunca me ocorreu que ela pudesse morrer.

A assistente educacional da Susie e eu incentivávamos os outros alunos a interagirem com ela. Eles liam livros para ela e compartilhavam histórias e fotografias. Ouvi-los a deixava feliz e fazia com que desse risadas. Ela ficava especialmente animada durante a aula de música. Susie foi passando pelas séries escolares, mas a assistente educacional frequentemente a levava para a minha sala durante nossas aulas diárias de música. Susie trazia à tona o que havia de melhor nos outros alunos, e certas crianças abdicavam da hora do recreio para ficar com ela.

No verão de 2002 choveu muito pouco, e minha filha e eu ficamos preocupadas com a possibilidade de a nossa cisterna secar. Um sábado, em julho, uma tempestade se formou, e, antes de irmos dormir, rezamos pedindo que chovesse o suficiente para encher a cisterna. Na manhã seguinte minha filha perguntou se eu tinha mexido na cisterna. Eu disse que a tampa de cimento era pesada demais, que precisaria de uma alavanca para abri-la. Ela ficou atônita, porque a tampa tinha sido levantada e empurrada para o lado. Era impossível que aquilo tivesse acontecido sem uma intervenção. Naquela mesma manhã minha filha colocou a tampa de volta no lugar.

Ao meio-dia, minha filha e eu estávamos falando sobre aquele estranho evento, quando olhei para a cisterna e notei que a tampa estava entreaberta e deslocada. Ficamos chocadas, porque, mais uma vez, ninguém tocara nela.

Na segunda-feira seguinte eu soube que a Susie tinha falecido. Ela tinha 15 anos e entrara em coma durante o fim de semana. Quando cheguei à capela, fiquei surpresa ao ver uma foto dela com a minha turma de segundo ano colocada perto do caixão.

Sempre achei que a Susie fora responsável pela abertura da tampa da cisterna e que ela queria me comunicar que, como espírito, tinha forças para superar todos os obstáculos. No ano seguinte, ao perguntar "Quem é a Susie?", você ajudou a confirmar o fato de que ela estivesse tentando se comunicar comigo. Eu desejo a você tudo de bom.

Afetuosamente,
Clarice

Números

Minha grande amiga Marilyn Whall é uma médium que viajou comigo pelo Reino Unido. Uma noite, quando passávamos por uma cidade, ela chamou minha atenção para um carro que tinha uma série de números. "Se os números estiverem repetidos três vezes, como aquele 222", ela disse, "tudo ficará bem. A sequência 333 significa uma conexão com os Mestres Ascensionados." Ela contou que tinha aprendido sobre números com outra grande amiga, Doreen Virtue. Ri e contei o que acontecera num almoço fabuloso que tive com a Doreen. Estávamos indo para o restaurante quando, ao pararmos num sinal de trânsito, ela olhou para o número 444 na placa do carro à nossa frente e afirmou: "Estamos cercados por anjos!" Aquilo me intrigou e me fez querer aprender mais sobre mensagens contidas em números. Doreen tinha escrito um livro chamado *Healing with the Angels* (A cura com os anjos) no qual há uma seção sobre o significado de números repetidos e em sequência. Aqui estão algumas informações contidas no livro dela:

111: Há um portão de oportunidades se abrindo e seus pensamentos estão se concretizando com uma velocidade incrível.
222: Não se preocupe, porque a situação está se resolvendo satisfatoriamente para todos os envolvidos.
333: Os Mestres Ascensionados estão ao seu lado e querem que você saiba que tem a ajuda, o amor e o companheirismo deles.
444: Neste momento, milhares de anjos o estão cercando, amando e apoiando.
555: Uma grande mudança está para acontecer na sua vida.
666: Neste momento, seus pensamentos estão fora de foco, estão demasiadamente concentrados no mundo material.
777: Continue com o bom trabalho que está fazendo e saiba que seu desejo está se tornando realidade.
888: Você está encerrando uma fase emocional ou um relacionamento. Isso também significa que há luz no fim do túnel.
999: Vá trabalhar, trabalhador iluminado! O mundo está precisando do seu propósito de vida divino neste exato momento.
000: Algo para fazê-lo lembrar que você e Deus são uma única coisa. Além disso, este número é um sinal de que uma situação cumpriu um ciclo.

O número favorito dele

Geralmente começo meus seminários com alguma piada "sobrenatural" para relaxar a plateia. As risadas ajudam a aliviar a tensão e a aumentar a energia vibratória na sala. Em seguida, peço aos participantes que fechem os olhos e os guio por uma meditação. Essa prática quase sempre acaba com uma visualização em que eles encontram entes queridos já falecidos. Em 2010, enquanto fazia esse tipo de demonstração no estado do Oregon, ocorreram várias manifestações poderosas e emocionantes – especialmente uma sobre um adolescente que tinha morrido de leucemia. Veja, a seguir, um trecho da carta enviada pela mãe dele, que estava presente na demonstração.

Prezado James,

Meu filho Dan faleceu aos 19 anos. Depois de sua morte, eu sofria muito por não poder mais orientá-lo. Um pai ou uma mãe deve morrer antes dos filhos. Eu detestava não saber se ele estava bem. Pedi muitas vezes a ele que me enviasse um sinal – uma canção no rádio ou o número 44 (o número dele no futebol americano). O sinal geralmente aparecia, mas meu lado racional achava que era uma simples coincidência.

Não muito tempo depois da morte do Dan, uma amiga me deu um dos seus livros dizendo que eu gostaria dele. Logo li outros três livros seus. Quando soube que você viria ao Oregon, apressei-me em comprar as entradas e pedi a meu filho que fizesse o possível para estar lá.

No seminário, você nos pediu que deixássemos de implorar a nossos espíritos para que se apresentassem, porque aqueles que viriam já tinham sido escolhidos. Perto do fim da meditação, vi Dan e fui invadida por uma profunda sensação de carinho e amor. As barreiras se romperam e as lágrimas escorreram pelo meu rosto. Foi algo que eu nunca tinha vivenciado. Em seguida, os espíritos começaram a se apresentar. Quando o quarto espírito se manifestou, fiquei tensa, desejando que fosse o Dan. Lembre-se de que o número 44 era importantíssimo para o meu filho.

Você anunciou:

– Está na plateia uma mãe cujo filho de 18 ou 19 anos se encontra aqui. Ele está me mostrando decalques de carros e placas de carros personalizadas.

Meu coração parou. Aquela mensagem era para mim! Levantei a mão.

– Obrigado – você disse. – O seu filho morreu há um ou dois anos. Ele era muito querido.

Assenti com a cabeça. Quando fizemos o velório de Dan no estádio de futebol da escola, mais de 900 pessoas compareceram. A escola colocou sobre o caixão a camisa com o número dele: 44.

– O seu filho foi para o Havaí para aprender a surfar. A senhora está compreendendo?

– Sim – respondi. Dan amava o Havaí. – Como é que ele está? – perguntei.

Você respondeu com um sorriso:

– Mãe, ele está bem. Está surfando e se divertindo muito.

Eu me senti muito aliviada.

– O seu filho não pôde evitar o que aconteceu – você continuou.

Eu sabia que tínhamos feito tudo o que era possível, mas sempre restava a dúvida: "e se?".

– O seu filho é uma alma muito carinhosa e antiga.

Dan era incrivelmente afetuoso. Ele queria que todos fossem felizes.

– Você entra muito no quarto do seu filho e fica olhando para o capacete de futebol dele, cheio de assinaturas. – Era verdade. Você prosseguiu: – Esse espírito está tomando conta do irmão, ele o acompanha o tempo todo. – De fato, na semana anterior meu filho mais novo tinha dito que alguém estava tomando conta dele.

Você olhou para mim e sorriu.

– O seu filho está esperando para falar com você há um bom tempo.

Eu sorri. Dan era mesmo impaciente.

– O seu filho está dizendo que, na Terra, ele sentia medo de morrer, mas que agora não sente mais medo.

Eram as palavras que eu precisava ouvir. Muitas outras coisas foram ditas, e todas me causaram um impacto.

James, a sua sessão me trouxe paz. Eu não sinto mais aquele desejo incontrolável de proteger e guiar o Dan. Eu sei que ele está comigo e que, quando chegar a minha hora de partir, ele estará esperando por mim. Enquanto isso, preciso ser uma mãe excelente para o meu filho mais novo.

Obrigada, James, por ter-me dado um incrível presente de paz.
Evelyn

Sincronismo e coincidências

Frequentemente digo aos meus clientes que somos fantoches manejados pelos espíritos que influenciam as nossas experiências para o nosso próprio bem. Aqui está um exemplo de sincronismo: você lê uma palavra desconhecida em um livro no exato momento em que a ouve na televisão e, mais tarde, no mesmo dia, em uma conversa. A não ser que aquela palavra tenha algum significado pessoal ou simbólico, além de deixá-lo intrigado, esse sincronismo provavelmente lhe fará saber que alguma coisa especial está acontecendo.

Quando sabemos que a percepção é ilimitada, conseguimos aumentar a vibração da nossa energia e começamos a vivenciar o sincronismo regularmente. Compreendemos, enfim, que não existem coincidências, que acidentes não acontecem e que nem sempre podemos controlar circunstâncias e eventos. Eu acho que o que chamamos de coincidência é um sinal que o mundo espiritual nos envia para dizer que estamos posicionados corretamente no fluxo da energia universal e a caminho daquilo que nos está destinado.

Assim como o sincronismo, as coincidências podem parecer às vezes sem importância. Mas esses estranhos acontecimentos também servem para nos alertar para o fato de que, em relação às nossas experiências físicas, há muito mais coisas além do que conseguimos ver.

Será uma coincidência?

Aqui está uma história muito interessante que ilustra a minha teoria sobre coincidências. Há cerca de 16 anos eu morava em um pequeno apartamento de quarto e sala em Hollywood e fazia duas sessões por dia. Meu primeiro cliente foi Jerry, um homem comum de meia-idade.

Vinte minutos depois do início da sessão, a atmosfera na sala mudou de repente. Naquele momento, vi um teclado de piano acima da cabeça de Jerry e a figura de um homem tocando. Eu não conseguia ver o rosto, mas ouvi claramente o espírito dizer numa voz suave, mas enfática: *Diga a ele que é o Lee. Ele me conhece!*

Transmiti a mensagem e a imagem. Jerry ficou chocado.

– É o Liberace! Eu me perguntei se ele apareceria. Quando estava na loja comprando a fita, pensei que ele talvez aparecesse.

Eu também estava chocado. Conhecia o trabalho do Liberace, já tinha visto alguns de seus shows na televisão. Sempre admirara o seu estilo e a maneira como ele cativava as plateias com suas roupas excêntricas e a sua exuberância.

Naquele dia, Lee mostrou-se muito aborrecido e preocupado porque algumas das suas vontades não estavam sendo cumpridas. As pessoas em quem tinha confiado pareciam apenas interessadas em pegar uma parte de sua riqueza. A sessão acabou e eu me esqueci daquilo até começar a pensar nas coincidências.

Havia um ano eu tinha comprado em Palm Springs uma casa que ficava muito perto da antiga residência do Liberace. Lembrei-me do candelabro de dois metros de altura no jardim da frente e da letra "L" em ferro fundido adornando cada uma das janelas. Meses antes, ao passar pela casa, vi que os novos proprietários a estavam reformando e fiquei triste ao constatar que eles estavam destruindo boa parte da decoração.

Enquanto estava escrevendo este livro, fui a Las Vegas para um evento com minha assistente Christy. Por acaso passamos de carro pelo *Liberace Museum*, que eu ainda não visitara. Entramos no estacionamento e, enquanto tentava abrir a porta do museu, comecei a sentir uma estranha sensação de nostalgia. Infelizmente, a porta estava trancada, e mais uma vez senti tristeza. No momento em que entramos no carro para partir, uma caminhonete parou ao nosso lado e o motorista informou que o museu estava fechado desde o dia 17, e contou que a pessoa encarregada da fundação tinha se apropriado de todo o patrimônio e vendido tudo.

– Eu adoraria ter podido ver o museu – eu disse.

– Você quer ver a primeira casa do Liberace aqui em Vegas? – perguntou o motorista, que se chamava Bill.

– Claro!

Rodamos por dez minutos até chegar ao local. A casa estava vazia, havia apenas um velho toldo junto à porta lateral e o famoso "L" na cerca de ferro. Naquele momento fui novamente tomado por uma sensação de nostalgia, como se tivesse perdido algo especial. Fiquei muito agradecido ao Bill por "ter aparecido" no exato momento em que eu ia partir. Sem ele, eu não teria visto a primeira casa do Liberace e não teria ficado sabendo sobre a antiga vida dele. Uma semana depois voltei a pensar em tudo aquilo e me perguntei se o espírito de Liberace teria arquitetado esses eventos. Logo, logo, descobri.

No fim de semana seguinte, no avião a caminho de Phoenix, enfiei a mão na minha maleta para pegar um dos livros que sempre carrego comigo. Qual não foi minha surpresa quando saiu da maleta *The Biography of Liberace* (A biografia de Liberace)! Minha assistente veio me buscar no aeroporto e me levou para jantar. Quando acabei de contar-lhe a série de coincidências que acabara de viver, meu iPhone começou a tocar uma música. Achei muito estranho, porque eu o tinha desligado quando estava no avião. Ao olhar para ver o que estava tocando, o nome da canção era "I Got the Message" (Recebi a mensagem) e o conjunto que a estava tocando era o de Liberace.

Alguns de vocês podem achar que tudo isso foi simplesmente uma série de coincidências, mas é assim mesmo que o mundo espiritual nos contata. Para mim, é óbvio que todas aquelas circunstâncias ocorreram juntas e de maneira sincronizada para me fazerem relembrar o Liberace e sentir tristeza pelo que tinha acontecido.

No próximo capítulo sobre sofrimento, falarei mais a respeito de tristeza, de como lidar com os sentimentos e de como deixar a tristeza para trás e seguir em frente com a vida.

oito

Indo em frente

Não conseguimos curar o mundo das tristezas,
mas podemos escolher viver na alegria.
– Joseph Campbell

As crianças que morrem não querem que seus pais permaneçam tristes. Elas desejam que eles sigam em frente da melhor maneira possível. A perda de um filho faz com que os pais sintam um insuportável sentimento de culpa, dúvida, medo e angústia. Não há palavras ou gestos de conforto que os consolem. O sofrimento de pais enlutados é diferente dos outros tipos de sofrimento. Para eles, todas as expectativas de uma vida normal foram destruídas. Essa é a experiência mais dolorosa que se pode imaginar, e não existe uma recuperação rápida para ela. É preciso dar tempo ao tempo para que haja amor e esforço para ir em frente. Por isso, ter paciência é essencial.

Para dar o primeiro passo em direção a qualquer tipo de vida normal, os pais precisam reconhecer a tragédia da perda que sofreram e acreditar na possibilidade da cura. Muitas vezes, eles me dizem que não conseguem continuar vivendo, e existem de fato pais que sucumbem. No entanto, a maioria dos que vivem essa situação consegue superá-la e seguir em frente. Viver a dor da perda de um filho é uma experiência inédita para a qual ninguém está preparado. É por isso que tantas pessoas se sentem perdidas e sozinhas enquanto sofrem.

Embora não exista uma fórmula mágica para alguém que sofre a perda de um filho, há maneiras saudáveis de passar pelo processo. Uma das mais valiosas sugestões que posso compartilhar com esses pais é dizer-lhes para tentar, da melhor maneira possível, ver-se como um ser espiritual e viver dessa forma todos os dias. Sei que é uma tarefa difícil, porque exige persistência e determinação. Quando sugiro que as pessoas dediquem 30 minutos de seus dias à meditação, sinto que elas reagem com espanto. Como é que alguém consegue encontrar tanto tempo assim para meditar? E, no entanto, essa prática traz enormes benefícios em termos de paz interior. Lembre-se de que a energia percorre a sua coluna para cima e para baixo o tempo todo. Quando você não processa os seus sentimentos, a perturbação emocional permanece parada em seu íntimo, entupindo os seus centros emocionais. Quando a sua energia fica presa e não flui pelo corpo com facilidade, ela pode se tornar um distúrbio.

Outro problema é a importância que a maioria das pessoas dá à opinião dos outros. Nunca deixe alguém lhe dizer como, ou por quanto tempo, você deve sofrer essa perda. Você é um ser exclusivo, e duas pessoas não sofrem da mesma maneira; todas as pessoas experimentam sentimentos diferentes em ocasiões diferentes.

Os estágios da dor da perda de um filho

Seu filho partiu para sempre, e um torpor o envolve como um manto escuro. Você pensa: não pode ser verdade, é um pesadelo. Os sentimentos mais diversos agitam-se no seu interior e sua mente tenta compreender o impensável. Você se sente totalmente só, mesmo quando está cercado por membros da família e amigos. Todos esses sentimentos são sinal de que você entrou no primeiro estágio da dor: o do choque, da rejeição e do isolamento. Em meu livro *A força da vida*, descrevo esses estágios da dor da perda em detalhes. No início, você se sente esmagado, e seu corpo poderá reagir ao desespero com noites insones e perda de apetite. Ou poderá ocorrer exatamente o oposto – você dormirá o dia inteiro e comerá em demasia por causa do estresse. O choque e a rejeição agem como mecanismos de defesa, porque ter que encarar a realidade parece algo quase impossível. Alguns pais tendem a permanecer nesse estágio por algum tempo. Outros se ocupam desordenadamente, outros ainda conseguem separar seus sentimentos das atividades diárias. Embora você preferisse não sentir nada, a solução mais saudável é aceitar a dor e o sofrimento. Após conseguir reconhecer que seu filho partiu desta vida terrestre para sempre, você poderá aceitar que ele está absolutamente vivo no mundo espiritual, e que ficará perto de você enquanto for necessário.

Após conseguir admitir isso, vem o estágio em que você geralmente sente raiva. Você está revoltado consigo mesmo, com seu cônjuge, com a sua vida, com Deus, com a sua crença na bondade e com tudo o mais. Você está revoltado com o mundo. Como pode Deus levar meu lindo filho? O que foi que eu fiz para merecer isso? Por que não pude morrer em vez dele? Eu me lembro de ter conversado, em um programa de rádio, com uma mulher que estava desesperada porque seu filho tinha morrido de câncer. Ela não queria aceitar a realidade da partida dele e sentia raiva de Deus por tê-lo tirado dela. A primeira coisa que eu lhe disse foi:

– É bom você estar falando sobre seu filho. – Ela ficou perplexa. Eu continuei: – Seu filho está aqui dizendo que está bem, que não sente mais dor. Ele está dizendo: *Eu estou livre*.

Como a mulher começou a soluçar e não conseguia falar, passamos para o próximo ouvinte. Naquele momento, mandei-lhe um bilhete pedindo que me procurasse depois do programa. Quando falamos, ela parecia bem mais calma.

– Obrigada, James – ela disse. – Eu vinha segurando a dor há muito tempo. Estava com raiva do mundo, mas ao ouvir você afirmar que meu filho está livre, senti romper uma barreira dentro de mim.

Fiquei feliz ao ouvi-la dizer que tinha finalmente conseguido entrar em contato com seus sentimentos.

– O seu filho ainda está perto de você – eu disse. – Ele estava esperando que você se abrisse para poder se comunicar.

Ela reagiu imediatamente:

– Eu consegui entender que não estava permitindo que ele ou qualquer outra pessoa chegasse ao meu coração.

Infelizmente, a raiva não apenas mantém o mundo espiritual de fora como também nos distancia das outras pessoas – sobretudo das outras crianças da casa. Por não compreenderem direito a morte, as crianças geralmente se culpam – acham que fizeram algo errado ou que não são tão queridas quanto o irmão ou a irmã que morreu. Até mesmo as crianças pequenas sabem que alguma coisa está errada e sentem algum tipo de dor. Ninguém, especialmente uma criança, quer conviver com uma pessoa revoltada. Como existem muitas maneiras de extravasar a raiva com segurança, por favor, não a descarregue nos mais próximos. Agarrar-se à raiva e à amargura certamente bloqueia o fluxo da sua energia. Muitas pessoas desenvolveram doenças terminais menos de um ano após a morte de um ente querido. Uma mulher escreveu contando que o marido ficou tão devastado com a morte do filho deles, que faleceu logo depois.

O próximo estágio da dor é aquele em que você sente culpa ou atribui a culpa a alguém. Esse sentimento é extremamente comum em pais que perderam filhos. Afinal, os pais devem proteger seus filhos, e, se algo lhes acontece, eles sentem que não cumpriram sua função. A morte de um filho provoca muito ressentimento e culpa entre os pais, e eu já vi vários casais se divorciarem depois da perda de um filho. Eu me lembro de uma sessão para uma mãe cuja filha tinha morrido em um acidente de barco. Ela me disse que tinha se separado do marido porque o culpava por ter permitido que a filha saísse para velejar com amigos adolescentes que beberam durante o passeio. Ela repetia sem parar:

– Foi culpa dele. Nossa filha ainda estaria viva se ele não tivesse permitido que ela fosse.

Quando a filha veio em espírito, ela implorou que a mãe perdoasse o pai. Ao ouvir aquilo, a mulher desmoronou e chorou como um bebê. *O papai não teve culpa. Vocês precisam permanecer juntos.* O espírito era bem insistente. A seguir, a filha disse uma coisa que me deixou arrepiado: *Minhas irmãs não conseguirão viver sem vocês dois. Elas se voltarão para as drogas e morrerão como eu.* Ao ouvir isso, a mãe se aprumou, enxugou as lágrimas e olhou nos meus olhos.

– Oh, meu Deus. Não podemos abandonar nossas duas filhinhas.

Graças a Deus, a mulher fez as pazes com seu marido e a família prosperou.

Não existe um limite de tempo para os estágios de sofrimento. A duração do processo depende de cada indivíduo. Algumas pessoas podem levar meses, outras podem permanecer nesse estágio, entrando e saindo do sofrimento, por um ou muitos anos. O segredo está em sentir a dor até aceitar o que aconteceu e compreender que seu filho está vivo no céu tomando conta de você. Se conseguir aceitar isso no seu coração, você estará a caminho da cura e poderá prosseguir com a sua vida.

Muitos pais permanecem tendo reações e sentimentos negativos, como raiva ou culpa, por tempo demais. Presos em sua incapacidade de lidar com a perda, eles podem se tornar deprimidos e melancólicos. Muitas vezes, para atenuar esse sentimento doloroso, alguns pais deprimidos começam a consumir drogas e bebidas alcoólicas sistematicamente. A perda de um filho pode também gerar maus comportamentos. Os homens, em especial, tendem a manifestar fisicamente aquilo que não conseguem exteriorizar emocionalmente. Alguns se fecham e passam a não falar com ninguém, sentindo-se mortos por dentro. As mulheres também podem agir de maneiras bem diferentes: param de cuidar de si mesmas, de comer, de se arrumar e, às vezes, nem se levantam da cama. Há também aqueles pais que ficam tão deprimidos que pensam em suicídio. Se a depressão e os comportamentos nocivos estiverem controlando a sua vida, procure a ajuda de um profissional.

A compreensão do propósito

A morte de um filho é o fim de uma etapa da sua vida, mas é também o início de outra. O sofrimento causado por essa perda é um tipo de processo de purificação que vai ajudá-lo a passar para a próxima etapa da sua jornada. Sofrer de forma saudável significa saber lidar com seus sentimentos. O sofrimento nocivo mascara ou entorpece sentimentos. Existem inúmeras maneiras de dizer adeus a um filho que se foi. Escrever cartas é uma delas. Eu geralmente peço aos participantes das minhas sessões que escrevam cartas para seus filhos. Explicarei em detalhes como fazer isso no próximo capítulo, *Cartas do Céu.* Escrever um diário é outra maneira de expressar seus sentimentos. Falar com seu ente querido através da meditação e da oração pode também abrir seus sentidos e assim permitir que você consiga receber mensagens de volta. Ao dizer adeus, deixe para trás as crenças e os sentimentos que vem nutrindo

– todos aqueles "e se" que não param de atormentar sua mente. Substitua esses pensamentos autodestrutivos por pensamentos positivos. Mesmo que ache difícil controlar os pensamentos negativos, procure neutralizá-los com palavras positivas. Quando teme algo negativo, você bloqueia qualquer coisa positiva que esteja vindo para você. Substitua gradativamente seu medo, seus pensamentos pessimistas e seus sentimentos perturbadores por algo melhor. Sei que não é fácil fazer isso, mas lembre-se de que seu filho tinha uma missão a cumprir aqui na Terra, e que você também tem uma.

Após conseguir aceitar o que aconteceu, perdoe a si mesmo e perdoe seu filho. Perdoe seu cônjuge, seu parceiro e qualquer outra pessoa da sua vida. O perdão é um ato de graça e compaixão de que todos podem se beneficiar. A aceitação e o perdão nos permitem iniciar um novo capítulo em nossa vida e abrem as portas para que novas oportunidades cheguem até nós. O seu filho lhe deu um presente – e talvez um novo propósito na vida. Cabe a você cumprir o propósito e a missão da sua alma nesta existência.

A meditação do perdão

Eu gostaria de compartilhar com você a meditação do perdão. Ela me foi inspirada pelo mundo espiritual enquanto eu dava uma aula no Omega Institute. Quando faço uma meditação com a minha turma, sempre sei antecipadamente qual será o foco, mas nunca sei direito como o mundo espiritual me fará chegar lá. Eu simplesmente abro os meus sentidos, deixo minha mente se amalgamar com o mundo espiritual, e as palavras saem como se outra pessoa as estivesse falando. Portanto, se você anda preso a ressentimentos e mágoas, experimente fazer essa meditação. Acho que vai ficar satisfeito com os resultados.

Encontre um lugar tranquilo onde você não será incomodado durante pelo menos meia hora e certifique-se de estar longe de perturbações externas como telefone, televisão, vozes, etc. É importante sentar-se em uma cadeira confortável e manter as costas eretas. Eu prefiro um ambiente escuro para ficar totalmente imerso na meditação. Se quiser, coloque alguma música espiritual suave de fundo. Manter os olhos fechados também ajuda a nos concentrarmos no nosso interior.

Concentre-se então no ritmo da sua respiração. Inspire profundamente e expire pelo nariz durante alguns minutos. Quando achar que está na hora, e enquanto continua a respirar lentamente, comece a imaginar uma luz dourada em forma de funil descendo dos céus sobre a sua cabeça. Essa luz dourada penetrará no seu corpo. Visualize-a misturando-se com cada parte do seu corpo – a partir da cabeça, até o pescoço, os braços, as mãos, o peito, as costas, o tronco, as pernas e os pés. Imagine todas as células, todos os músculos e toda a sua corrente sanguínea sendo inundados por essa luz dourada. Ela preenche todo o seu corpo e converte a energia e os pensamentos negativos e deprimentes em uma energia positiva e amorosa. Imagine toda a energia melancólica saindo pelas pontas dos dedos das mãos e dos pés, como grãos de sujeira, e caindo sobre a Mãe Terra.

Imagine-se liberando toda a mágoa e ressentimento, até se sentir completamente limpo. Após alguns minutos, você sentirá uma leveza percorrer o seu corpo. Sinta essa energia dourada subindo e descendo por sua coluna vertebral, iluminando todo o seu ser. Depois de permanecer sentado por algum tempo com essa sensação de leveza, direcione sua atenção para o centro do peito. Ouça o seu coração bater. Imagine-se no centro do seu coração, tornando-se parte de seus batimentos cardíacos.

Em seguida, imagine uma luz verde vibrante emergindo do seu coração, formando uma grande bola de cristal na sua frente. Essa luz verde que sai do seu coração é feita de amor incondicional e cura. Ponha então a pessoa que você precisa perdoar, e que já está no mundo espiritual, dentro da bola de cristal verde de cura. Deixe-a saber que você a ama incondicionalmente. Ao começar a perdoar, você sentirá uma diferença em seu corpo. Talvez comece a chorar, espirrar ou tossir. Isso é normal. Você estará descartando toda aquela energia velha e estagnada associada àquela pessoa. A energia se deslocará.

Após alguns minutos, coloque outra pessoa no centro da bola de cristal verde de cura. Essa pessoa pode estar no mundo dos vivos e talvez seja seu cônjuge, o motorista bêbado ou qualquer outra pessoa que você considere responsável pela morte de seu filho. Envie a essa pessoa o sentimento de amor incondicional e perdão. Após alguns minutos, substitua a imagem dessa pessoa pela sua na bola de cristal verde de cura. Ao se olhar, você começará a ver as suas feições adquirindo uma aparência mais jovem. Nesse momento, deixe a cura entrar em você. Ame-se incondicionalmente, da mesma maneira que fez com os outros. Você estará corporificando a energia amorosa de Deus. Reconheça-a, aprecie-a e perdoe a si mesmo. Quando estiver pronto, abra os olhos. Lembre-se dessa bola verde de energia curadora sempre que se sentir deprimido. Ela o reenergizará.

A meditação da caixa de presente

Em seminários que duram um dia ou um fim de semana, eu faço muitos tipos de meditação extremamente eficazes para ajudar as pessoas a encontrar seus entes queridos. Antes de embarcar em qualquer jornada de meditação, e para sentir o mundo espiritual sem qualquer expectativa, é importante manter-se fora da sua mente/do seu ego e deixar a energia fluir. Você quer receber, não quer controlar. Assim como na meditação anterior, certifique-se de estar em um lugar onde não será interrompido por, pelo menos, meia hora. Em seguida, feche os olhos, comece a se alinhar com seu corpo e perceba as sensações, sem julgá-las.

Mais uma vez direcione a atenção para a respiração, para cada inspiração e expiração. Em cada inspiração, imagine a luz dourada do céu entrando pelo topo da sua cabeça e percorrendo todo o seu corpo. Sinta essa luz em cada músculo, célula e tecido. A sua mente começará a desacelerar enquanto você inspira e expira, atingindo um ponto de neutralidade. Ao sentir-se centralizado no seu ser, use a imaginação para fazer uma viagem celestial.

Veja-se em um balão colorido que sobe a cada inspiração, e sobe mais ainda a cada expiração. Após várias inspirações e expirações, você se verá flutuando acima das nuvens, em um mundo que nunca viu antes. É um mundo de beleza e cores deslumbrantes. Cada cor conta uma história. Mergulhe nesse ambiente por alguns instantes e absorva a sua mágica, sinta o impacto das cores diferentes no seu ser. Lá longe, além das nuvens, você verá um jardim cheio de flores que parecem brilhar como um arranjo de diamantes.

O seu balão pousará de maneira muito suave no gramado verde do jardim e você imediatamente sentirá que aquele é o *seu lugar.* Saia do balão e, com todos os seus sentidos, comece a perceber esse novo mundo. Ele é o seu jardim espiritual, ele representa o seu ser espiritual. Sinta a energia e a vibração de tudo. Esse lugar representa a sua beleza interior, a sua orientação interior e o seu ser superior. Você se sente cercado de amor. O seu guia, ou os seus guias, vem ao seu encontro e você fica feliz. Observe como eles estão vestidos, pois talvez seja a primeira vez que você os encontre, o que o deixa feliz. Você se comunica através de pensamentos e percebe que está em um mundo de paz, unidade e possibilidades infinitas. Esse mundo é uma tela em branco onde você poderá criar qualquer coisa que queira.

Ao sintonizar melhor o seu mundo celestial, você olhará para um ponto distante e verá imagens de pessoas. Os seus guias as estão conduzindo na sua direção. Primeiro você verá os olhos delas, em seguida, elas inteiras. São os seus entes queridos - seu filho ou sua filha, sua mãe, seu pai, seu cônjuge, parentes, amigos e até mesmo animais da família que passaram para a luz. Ao mover-se em direção a elas, você nota como estão jovens e vibrantes. Sinta a energia e o amor delas. No jardim há bancos confortáveis onde você e seus entes queridos se sentarão para passar momentos preciosos juntos. Assim como fez com seus guias, você se comunicará com eles através de pensamentos. Você já se comunicou assim muitas vezes antes, e isso lhe parece natural. Você vê que seus entes queridos confeccionaram uma caixa muito especial para você. Ela está coberta de pedras preciosas - safiras, diamantes, rubis e esmeraldas. A caixa tem o seu nome escrito na tampa; ela o representa e parece ser uma extensão sua.

Nesse momento, faça a seus entes queridos uma pergunta sobre algo que você guardou no fundo do coração - uma pergunta para a qual você ainda não recebeu resposta. No momento em que sentir que está pronto para ouvir a resposta, abra a caixa bem lentamente e olhe dentro dela. A resposta poderá vir em forma de palavras, frases, cores, símbolos ou fotografias. Permaneça sentado segurando o presente por alguns instantes. Se decidir continuar com a comunicação, faça-o.

Quando estiver pronto para voltar à percepção do seu corpo físico, inspire profundamente, sinta os pés no chão e a sua conexão com a Mãe Terra. Repare então como o seu corpo físico está lhe parecendo diferente. Sinta o seu coração e o seu ser emocional. Você talvez queira registrar suas percepções em um caderno para rever essas palavras e imagens de vez em quando e sentir que a sua família de espíritos está muito próxima.

Mãe, você fez tudo o que podia

Recentemente, após fazer a meditação da caixa de presente em um seminário, recebi a seguinte carta de um dos participantes:

Prezado James,

... Você nos conduziu para um bonito jardim onde fomos apresentados a nossos guias. Naquele momento, pedimos que eles nos ajudassem a encontrar nossos entes queridos. Meu filho apareceu com muita nitidez, como se estivesse vivo de novo – feliz, sem dor e inteiro –, exatamente como era antes de a doença destruir seu corpo. Ele estava com meus pais, à frente dos dois. Eu sei que meus pais compreendiam a importância de eu poder ver meu filho vivo outra vez. Eu sabia que eles compreendiam a extrema necessidade que os pais têm quando perdem um filho. Eles se posicionaram atrás do Chip para que eu tivesse certeza de que estavam com ele, de que se encontravam todos juntos.

Você então nos disse que um dos nossos entes queridos estaria segurando uma caixa enfeitada, dentro da qual havia um presente para nós. Chip estava segurando a caixa. Pedi que a trouxesse para mim. Ele caminhou na minha direção e colocou aquela linda caixa brilhante no meu colo. A entrega do presente foi impressionante, porque o Chip se curvou, fez uma surpreendente reverência, inclinou a cabeça com muita pompa e disse: Para a senhora, Sua Majestade.

Eu não parava de ouvir e sentir: Eu amo você, mamãe. Você foi fantástica, mamãe. Você fez o máximo que podia, mamãe. *Em seguida você nos disse para abrir a caixa quando estivésse-*

mos prontos. Abri a minha, e dela saíram as palavras Abundância, Amor, Felicidade, Compaixão, Graça e Saúde, *escritas em adoráveis fitas, tão leves que flutuavam pelo ar e sumiam nas alturas. Meu coração transbordou de gratidão e de um amor tão profundo que é impossível descrever.*

Chip então colocou a cabeça sobre o meu joelho, e eu experimentei o que uma mãe sente quando seu filho mostra o quanto a ama. Como o momento em que um bebê leva sua mãozinha até o nosso rosto pela primeira vez. O amor que eu senti durante esse processo não pode ser facilmente explicado, porque foi algo que eu nunca tinha vivenciado antes. Eu estava em outro lugar, em outro espaço. Meu coração transbordava, as lágrimas desciam livremente pelo meu rosto, enquanto o Chip permanecia sentado ao meu lado, com o braço sobre os meus ombros e a cabeça apoiada na minha.

Naquele momento, minha mãe se aproximou, sentou-se do outro lado e apoiou a cabeça no meu ombro. Meu pai se juntou a nós e nos abraçou. Todos abraçados, um encontro com meu filho e com meus pais. Um silêncio cheio de harmoniosa beleza. Se eu não tivesse comparecido àquele surpreendente seminário, provavelmente nunca teria experimentado o que senti. Serei sempre grata a você, James, por ter-me proporcionado essa experiência. Nunca a esquecerei. Minha vida mudou. Agora posso viver em paz. O meu menino está bem e continua a me amar.

Anita

Apoiem-se mutuamente

Estar com outras pessoas que vivenciam uma experiência semelhante ajuda a potencializar a nossa energia. Há muitos meios benéficos para obter ajuda e orientação. Os grupos de apoio a pessoas que sofrem a perda de um ente querido é um deles. Estimulo todos aqueles que se encontram nessa condição a procurarem um desses grupos. Se você se sente muito inibido para participar, existem conselheiros e terapeutas que o atenderão individualmente. É claro que uma ida a um seminário espiritual, a um retiro ou a um círculo espírita pode ser muito salutar.

Uma mulher que participou várias vezes do meu círculo espírita em Laguna Beach escreveu para dizer que sempre saiu se sentindo muito melhor. "Eu realmente acho que você me ajudou a compreender que a morte não é o fim, que é apenas uma forma diferente de vida." Outra mulher escreveu para dizer que a perda do filho a levou a se oferecer como voluntária numa instituição destinada a trabalhar com crianças que estavam nos programas de adoção. Ela afirmou que provavelmente nunca teria feito isso se seu filho não tivesse morrido e, como espírito, a tivesse empurrado em novas direções. "Quando me desespero, meu filho vem me confortar, e percebo que este é apenas um período de separação. Procuro fazer com que outros pais que estejam vivendo essa situação saibam que podemos sobreviver à perda de nossos filhos. Não é fácil, mas existe uma maneira de ir em frente e aceitar o que aconteceu. Um lindo pôr do sol é capaz de nos transmitir a sensação de que a mão de Deus está em tudo e que devemos encontrar nosso caminho."

De certo modo, o ato de apoiar os outros pode nos ajudar e nos fazer sentir melhor. Recebi um e-mail de uma mãe que depois de uma das minhas demonstrações fundou seu próprio grupo de apoio.

Prezado James,

A minha jornada começou com o falecimento da minha filha de 21 anos, Liz. Minhas crenças religiosas não eram suficientes para me confortar. Na busca para entender o que tinha acontecido, comecei a procurar livros que me oferecessem uma chance de ver a vida por uma nova ótica e li muitos livros seus.

Tive a sorte de participar de um retiro espiritual de fim de semana com você em Nova York. Participar de um evento como aquele foi algo novo para mim. Um ano depois voltei a participar de outro seminário, e mais uma vez me senti confortada. Perto do final, você transmitiu mensagens de alguns espíritos.

Você começou a falar para uma mulher que estava sentada bem atrás de mim. O nome dela era Betty, mas você a chamou de Beth (meu nome) várias vezes. A filha dela, Vicky, que tinha morrido menos de um ano depois da minha, estava se manifestando. Você lhe forneceu muitos detalhes específicos. Disse que a filha dela gostava de ver a família soltando balões em sua homenagem e que se sentia feliz por sua família estar abrindo uma fundação em nome dela. O espírito de Vicky encerrou pedindo à mãe para dar um abraço em Flo, a melhor amiga da mãe.

Estou mencionando esse atendimento para a Betty porque tudo o que foi mencionado acima também se aplica a mim – até dar um abraço em Flo, a minha grande amiga que estava sentada ao meu lado. Quando Flo pediu para você explicar como aquele atendimento também se aplicava a mim, já que o meu nome era Beth, você disse que nossas filhas tinham planejado a participação de suas mães no seminário para que se encontrassem. Disse que elas tinham se tornado grandes amigas, que estavam rindo e se divertindo muito no mundo espiritual.

Esse evento aconteceu há um ano e meio. Betty e eu permanecemos em contato e continuaremos a fazê-lo. Eu sei que ela ficará na minha vida para sempre. É impressionante ver como nós duas pensamos da mesma maneira. Além de gostar imensamente da companhia de Betty, sinto que ela é uma das poucas pessoas que compreendem totalmente como é a minha vida – e vice-versa. Ela consegue me fazer rir, e nós duas temos certeza de que nossas meninas são amigas, porque, quando compartilhamos histórias, constatamos como elas eram parecidas.

O meu fim de semana com você me fez compreender melhor o falecimento da minha corajosa e amada filha e as lições que a vida e a morte dela me ensinaram. Sei que a minha filha está tomando conta da nossa família, que ela quer que fiquemos curados, que vivamos vidas felizes e produtivas em sua homenagem.

Beth M.

P. S.: Você pediu para falar em particular comigo e com a Betty depois da sessão e voltou a nos assegurar que nossas filhas estavam por perto. Em seguida, pediu a alguém que tirasse uma fotografia de nós duas com você. Estou lhe enviando a foto anexada ao e-mail. Veja os muitos orbes que nos cercam.

Ajudar outra pessoa que viveu o mesmo drama, como essas duas mulheres fizeram, pode funcionar como um minigrupo de apoio. Há muitos sites – entre eles o meu – que fornecem informações sobre como receber apoio quando se perde um ente querido. Dê o primeiro passo para obter ajuda assim que puder.

Uma mudança espiritual

A morte de um filho pode causar uma grande mudança espiritual no pai ou na mãe. Muitas das cartas que recebo relatam um despertar espiritual. Há pessoas que mudam suas crenças religiosas ou descobrem uma nova compreensão espiritual em pequenas organizações religiosas. Algumas passam a se envolver mais em suas igrejas. Outras consultam videntes e curandeiros em busca de orientação e apoio. Outras ainda passam a frequentar grupos espirituais paranormais. Muitas encontram uma força espiritual nas profundezas de seu sofrimento. Algumas descobrem

Deus e uma conexão direta com o mundo espiritual. Veja aqui como uma mãe mudou.

Prezado James,

Quero lhe dizer, do fundo do coração, como é maravilhoso poder me conectar com meu filho falecido no mundo espiritual. Venho lendo sobre espiritualidade desde que ele morreu, mas preciso lhe dizer que a sua sessão mudou a minha vida. Nenhum outro livro ou evento espiritual me ajudou tanto quanto a sua sessão. Fiz o seu curso on-line "Enhancing Your Intuition" *(Aumentando a sua intuição) e ele abriu a porta da minha espiritualidade e a conexão com o mundo espiritual.*

Mensagens de amor e apoio reforçaram a minha decisão de me conectar. A crença e a intenção de me conectar com o mundo espiritual me trouxeram visões, sons e mensagens desse mundo. Antes dessa conexão, minha vida era desprovida de sentido. Agora sinto que a porta da vida se abriu para um mundo de deslumbramento e excitação absolutamente novo. Quando era criança, eu frequentava uma igreja com meus pais, mas nunca tinha sentido qualquer impulso de ajudar o próximo. Agora tenho certeza de que o meu futuro é servir ao mundo espiritual. Posso lhe dizer que estou em uma missão que visa compartilhar com o mundo a certeza da conexão de Deus com todos nós e o amor incondicional que o mundo espiritual sente por cada um.

Janet

Afirmações

Sempre gosto de encerrar minhas sessões, meus seminários, meus eventos e meus programas de televisão com afirmações, para que todos saiam com uma alta vibração espiritual. Por isso, encerrarei este capítulo da mesma maneira. Afirmações são declarações positivas ditas em voz alta e no presente do indicativo, visando alcançar um objetivo desejado. Lembre-se de que seus pensamentos são coisas reais! Como as semelhanças se atraem, aquilo que você enviar em pensamento e palavra você receberá de volta. Os pensamentos carregam uma incrível quantidade de energia criativa e se concretizam se você pensar neles tempo suficiente. Todos os dias, antes de me levantar da cama, programo a minha mente com energia positiva e amorosa.

Elaborei uma lista de afirmações para você usar se quiser. Você pode escolher uma delas ou elaborar as suas próprias. Use-as como ferramentas que o ajudarão a pensar de maneira positiva. Eu as faço mentalmente de manhã, enquanto escovo os dentes, e repito à noite. É interessante notar que, quando for escrever, você deve começar qualquer texto com uma afirmação positiva. Ao fazer isso, você se abrirá e provavelmente escreverá muito melhor. Experimente e veja o que acontece. O importante é lembrar que, quanto mais você fizer afirmações, mais fortes e mais rápidos os resultados se materializarão em sua vida.

O COMEÇO DE UM NOVO DIA

Cada dia traz com ele novas esperanças e lições para aprender.
Tudo ocorrerá no tempo de Deus. Eu só estou ajudando.
Eu controlo a minha vida.
Os meus entes queridos são, e sempre serão, uma parte da minha vida diária.
Eu vou até o mais profundo do meu ser e descubro a minha alma.
Estar sozinho me faz descobrir a força que tenho.
Reconheço a minha perda e confirmo o meu amor por ___.

SOFRENDO A PERDA DESSE MEU ENTE QUERIDO

Estou aberto para receber a cura em todos os aspectos da minha vida.
Sou grato pelas lições de alma que me foram ensinadas nessa experiência.
Ao reconhecer meu sofrimento, começo a me curar.
Estou aberto para sentir e vivenciar totalmente essa perda.
Reconheço que agora a vida está diferente. Não está boa nem má, está apenas mudando.
A perda é uma parte da experiência da vida.
Posso viver o luto como escolher.
Nunca estou sozinho.
Um coração partido se abre para mais amor.
Sou divinamente guiado em tudo o que faço na vida.
Dou o próximo passo com confiança e me amo integralmente.
Aguardo, com grandes expectativas, as maravilhosas experiências que esse dia (ou o amanhã) me trará.

É muito interessante notar que, depois de começar a usar as afirmações, você provocará um ajuste em suas atitudes que atingirá todos os aspectos da sua vida. Talvez você ache que está fazendo as afirmações apenas para a dor da perda, mas logo descobrirá que outros setores da vida parecem estar mais vivos e libertos. Por fim, não importa o que vida lhe trouxer, você retornará à verdade fundamental: a de que você é e sempre será *amor.*

Ninguém percorre a jornada sozinho. Se você, assim como muitos dos pais que escreveram para mim, conseguir reconhecer que seu filho falecido lhe trouxe uma oportunidade espiritual, você sobreviverá e prosperará na sua jornada. Sua experiência humana será transformada. Talvez ocorram momentos de profunda tristeza e dor, mas seu filho estará sempre por perto para lhe infundir coragem. Os vínculos de amor duram para sempre.

nove

Cartas do céu

Recebemos filhos para sermos testados
e nos tornarmos mais espirituais.
– George F. Will

É importante que você compreenda que seu filho que partiu em direção à luz está bem e vivo em outra dimensão. Mesmo que você não consiga compreender onde ele está, ou o que isso significa, ele pode ouvir seus pensamentos com bastante clareza e exatidão. Durante todos esses anos, o mundo espiritual me deu vários exercícios para ajudar as pessoas a entender que seus entes queridos estão por perto. Um dos meus favoritos é aquele em que os pais escrevem e recebem cartas de seus filhos. Descobri que o ato de escrever uma carta é uma das melhores maneiras de manter uma comunicação constante com um ente querido, seja qual for a sua crença. Ter ideias preconcebidas sobre o céu pode, no entanto, limitar sua experiência e a de seu ente querido. Como você verá, muitas crianças que estão no lado mais elevado da vida não encontram aquele céu descrito nas aulas de religião. Para que esse exercício tenha sucesso, você precisa se abrir para o amor que transita entre você e seu filho falecido. Essa é uma oportunidade maravilhosa de se reconectar com seu adorado filho, ou sua amada filha, que está apenas um passo além do véu dos seus limitados sentidos.

Escolha cuidadosamente o dia em que vai escrever sua carta. Nessa data, encontre um lugar onde ninguém nem nada o perturbem. Você precisará de papel, caneta e um envelope. Sente-se confortavelmente, pare alguns momentos para se concentrar antes de começar a escrever. Respire profundamente por alguns instantes e deixe a sua mente e o seu corpo relaxarem. Quando estiver se sentindo calmo, pense naquilo que você quer dizer a seu filho que se foi. Imagine que ele esteja morando em outro país e que você tem apenas três minutos para falar com ele por telefone. O que diria? O que perguntaria? Tente fazer perguntas que sejam importantes para você. Algumas pessoas tendem a fazer perguntas básicas como: Onde é que você está? Como é que está se sentindo? Quem está com você? O que está fazendo aí? Você me visita? Deixe as palavras virem do seu coração, mas procure não deixar suas emoções interferirem, porque elas podem bloquear a recepção daquele para quem você está escrevendo. Não pense demais, nem analise demais a sua carta; deixe-a apenas fluir. Comece a carta como você começaria qualquer uma. Escreva a data e o cumprimento afetuoso, e depois escreva o mais que puder em três minutos e tente ser o mais claro e conciso possível.

Às vezes, as pessoas gostam de incluir uma lembrança na carta. Pode ser uma oração, uma fotografia, uma joia ou pétalas de uma flor. Essas lembranças não são necessárias, mas, se quiser incluí-las, faça-o. Quando tiver acabado de escrever a carta, dobre-a e coloque em um envelope. Em seguida, escreva o nome de seu ente querido no envelope. Alguns pais endereçam suas cartas com frases como "Pequeno Anjo no Céu", "Sétima Nuvem à Direita" ou "Pequeno Mensageiro de Deus".

Tudo isso é bom, mas basta o nome. Após ter colocado a carta no envelope e endereçado, guarde-a – talvez em uma gaveta que você raramente abre. É importante que você não toque na carta durante, pelo menos, uma semana, o que não significa que não a olhe.

Marque um dia para receber a carta com a resposta de seu filho ou filha no mundo espiritual. Anote uma data e um horário. Certifique-se de não esquecer esse compromisso, pois ele é muito importante. Procure então tirar a carta da mente e deixar seus desejos e suas vontades se evaporarem no espaço celeste.

No dia marcado para receber a carta com a resposta de seu filho, certifique-se de ter bastante papel e de estar num lugar onde não será perturbado. Se quiser, coloque na sua frente uma fotografia dele. Quando estiver pronto para receber a resposta – ou, como eu gosto de chamar, "a transmissão do mundo espiritual" –, respire profundamente várias vezes e relaxe. Procure esvaziar a cabeça, concentrando-se na respiração. Mantenha o pensamento em seu ente querido até sentir o corpo e a mente relaxarem profundamente. Repita o nome dele três vezes mentalmente. Coloque a caneta sobre o papel e deixe a sua mente se encher com os pensamentos que seu filho está lhe enviando do mundo espiritual. Deixe a mensagem encher a página. Não pense sobre o que está escrevendo, apenas deixe a mente fluir e a mão correr livremente sobre o papel.

Você receberá um tipo de "clarão" ou "inspiração" enquanto estiver escrevendo a carta-resposta. Isso significa que o mundo espiritual está se conectando com você. Talvez você fique chocado com as mensagens que chegarem, porque podem não ser o que estava esperando. Esse é o comentário mais comum que eu ouço dos meus clientes. Continue a acompanhar o fluxo. Quando tiver encerrado a sessão, você sentirá a energia se deslocar e se dissipar. Respire algumas vezes e pegue a carta que você enviou. Abra-a e leia. Depois leia a carta-resposta. Você provavelmente verá o quanto ela tem a ver com a sua carta original. Algumas pessoas acham isso surpreendente, mas é muito natural. Como cada um de nós é um campo de energia, esta é uma maneira de compartilhar nossa energia em uma comunicação mental.

Alguns clientes me perguntam se esse exercício é uma forma de escrita automática, e eu respondo que é. Ela é feita em um estado de consciência alterado. Houve uma época em que a escrita automática era um meio muito popular de contatar espíritos e receber suas mensagens. Há alguns anos, em uma sessão, um espírito me disse que meus guias se expressam através de mim quando escrevo um livro. Assim que ergo os dedos sobre o teclado, as palavras deles começam a se manifestar na página. Acredito que todos nós temos graus diferentes de mediunidade, e que muitas das grandes obras musicais, literárias e teatrais chegam aos seus autores por meio dessa escrita automática. Na realidade, os criadores dessas obras estão canalizando as ideias do mundo espiritual, porque, antes de ser criado no mundo físico, tudo é criado lá.

Ao fazer o exercício da carta, você talvez perceba na resposta uma mudança na sua caligrafia. Ela pertence ao espírito da pessoa que está se manifestando através de você. O sucesso desse exercício depende de um estado de consciência profundamente alterado. Por isso é aconselhável meditar antes de receber a resposta, para que você use o lado direito do cérebro, que é receptivo, e não o crítico lado esquerdo.

A seguir estão algumas cartas escritas entre pais e seus filhos em espírito. A publicação dessas cartas íntimas tem como objetivo compartilhar com você as incríveis percepções das crianças que passaram para o lado mais elevado da vida, as dimensões espirituais. Espero que, assim como fizeram com os pais que as escreveram e receberam, essas cartas também lhe tragam bastante conforto, cura e entendimento. Acho que elas lhe darão uma maravilhosa noção de como é a vida das crianças que estão crescendo no céu.

Cartas para o mundo espiritual – Respostas do céu

14 de fevereiro de 1999
Para o meu querido Macaquinho,

Há cinco anos você nos deixou neste mundo e se mudou para o seu lar celestial com Jesus. Sei que você foi um anjo por um breve período aqui na Terra. Sinto-me abençoada e feliz por termos convivido durante sete anos e compreendo que Deus o tenha levado para casa. Rezo para você todos os dias e sinto cada vez mais a sua falta. Eu me pergunto se voltarei a ter uma vida normal. Sua irmã, Ella, o ama muito e beija a sua fotografia antes de dormir. Você vela por nós? Você já viu a vovó Sally e o vovô Joe? Eu gostaria tanto de poder abraçar você! Ninguém aqui compreende a dor que eu ainda sinto todos os dias por não ter mais o meu precioso Macaquinho e a alegria que compartilhávamos. Nunca ninguém me amou tanto quanto você. Acabei de encontrar as fotografias do seu aniversário de cinco anos e chorei muito. Você estava com seu lindo sorriso e seus profundos olhos castanhos. Espero que tenha podido me ver quando fui ao cemitério no seu aniversário com as bolas de encher. De certa maneira, lá eu me sinto mais perto de você. Não deixo de pensar em você um único dia. Aguardo com ansiedade o dia em que Jesus me levará para casa, para estar com você de novo e podermos brincar no céu.

Eu amo você agora e para sempre!
Sua mãe

21 de fevereiro de 1999
Querida mamãe,

Eu amo você cada vez mais a cada dia. O tempo passa rapidamente, pelo menos na Terra, mas não onde estou. O tempo simplesmente existe. Acho que eu estaria fazendo 12 anos no tempo da Terra. Eu adoro quando você escreve cartas para mim, embora eu esteja ao seu lado, observando-a enquanto escreve. Mãe, eu me lembro do que você me contou sobre o céu e sobre Jesus, mas eu ainda não o encontrei. As pessoas me dizem que ele está em um lugar mais elevado. Eu achava que o céu iria estar cheio de anjos e harpas, mas ainda não vi nada disso. O senhor McArthur toma conta de mim. Acho que poderia dizer que ele é o meu pai espiritual. O vovô e a vovó o escolheram para mim. Ele é um homem muito bom. Aqui eu pratico esportes o tempo todo – beisebol, futebol e esportes que eu nunca conheci na Terra. Você sentiria orgulho de mim. Estou em uma escola estudando ciências. É um tipo diferente daquela que estudamos na Terra, pelo menos foi isso o que me disseram, mas eu adoro saber por que as coisas acontecem. Mãe, eu sinto muito ver você tão triste. Por favor, seja feliz. Eu estou feliz. Eu adorava as bolas de encher, mas não estou mais na Terra. Você sabe disso, não sabe? Eu sou como as bolas de encher, eu flutuo no ar. Eu visito você todos os dias, acompanhado de muitas pessoas, e nós tentamos alegrar você. Eu danço a minha dança do macaquinho na sua frente, na esperança de que você a veja. Estou louco para que você venha para cá, mamãe, para ver as cores. Há muito mais cores do que você possa imaginar. Diga a Ella que eu a observo e lhe dou um beijo todas as noites, quando ela apoia a cabeça no travesseiro. Mãe, procure por mim nos seus sonhos. Eu levarei um macaco grande para você.

Todo o meu amor,
Ben

9 de outubro de 2008

Querida Jenna,

Sinto como se estivesse em um pesadelo desde que você partiu. Sinto-me culpada por ter comprado o carro que acabou com a sua vida. Eu devia ter pensado melhor. Não é isso que uma mãe deve fazer? Sinto muito por você não estar indo para a faculdade. Sei o quanto você queria se formar em música e talvez um dia se tornar compositora. Eu ainda me lembro de como você insistiu para que comprássemos um piano quando tinha apenas quatro anos. Mal sabíamos que havia um gênio musical na família. Sinto muito por você não ter vivido para ver o seu sonho se tornar realidade. Espero que esteja com a tia Mary e o Papai, eles adoravam você. Por favor, ajude o seu pai. Ele tem andado muito deprimido e parece estar piorando. Eu a amo muito e abraço o seu suéter todos os dias.

Com muito amor,
Sua mãe

16 de outubro de 2008

Querida mamãe,

Eu também sinto saudades de você todos os dias. Sinto saudades quando me lembro de você tentando me fazer sair da cama para ir para a escola, dizendo que eu ficaria de castigo se não me levantasse. Também sinto saudades de ouvir você me pedir para não usar o celular durante o almoço. Cara, como eu te chateava! Também sinto saudades do papai. Por favor, diga a ele que eu sei que ele está triste. Quando estou ao lado dele, sinto as lágrimas dentro dele. Mas, se ele soubesse onde eu estou, o coração dele ficaria tão alegre quanto o meu. Eu sei que você se sente mal por ter comprado aquele carro para mim, mas eu a amo por ter feito aquilo. Você é uma mãe muito amorosa e sabia que eu ia amar o carro. Portanto, por favor, não se culpe. Você não fez nada errado. Acredite, eu estava programada para morrer daquele jeito. O motorista bêbado que me atingiu fez isso para nos ensinar sobre o perdão. Por favor, perdoe-o. A mente dele está mergulhada na escuridão, e ele precisa das suas orações. Mãe, você iria adorar isso aqui. Há música em todos os lugares. Estou estudando música em uma escola especializada. Todos os alunos aprendem como se expressar individualmente na música, e depois juntamos nossos acordes. Você pode caminhar por um vale e ouvir música bonita em todos os lugares. É uma maravilha. Estou aprendendo a tocar oboé. Não é engraçado? Este sempre foi o meu desejo secreto. Já estive com toda a nossa família aqui, mas a mais incrível é a Whiskers, minha gatinha! Ela estava na minha cama quando eu acordei. Estou muito feliz. Sempre amarei vocês!

Todo o meu amor,
Jenna

15 de junho de 2006
Querido filho,

Meu coração dói muito – não sei se quero continuar vivendo. Uma pessoa me disse que para extravasar meus sentimentos eu deveria me sentar e escrever uma carta para você, na esperança de que captasse minhas palavras. Não sei. Isso me parece loucura. Mas já que nada mais parece dar certo, por que não tentar? Filho, eu me sinto muito mal sobre o que aconteceu. Eu deveria ter lhe dado o meu apoio, mas estava apenas preocupado comigo mesmo, sem pensar em você ou na sua irmã. Por favor, me perdoe, porque eu não consigo me perdoar. Eu deveria ter estado mais presente na sua vida. Se tivesse feito isso, teria percebido que você tinha se envolvido com drogas. Desculpe, mas não é bem verdade. Eu tinha uma vaga ideia, mas acho que não queria admitir. Eu gostaria de ter sido um pai melhor. Assim, talvez você não tivesse se envolvido com maus elementos. A vida tem tanta coisa a oferecer – não só coisas ruins, mas muitas coisas boas também. Eu apenas gostaria que você tivesse tido a oportunidade de vivenciar parte delas. Sinto muitíssimo ter desapontado você. Outro dia decidi arrumar a minha gaveta e imagina o que eu achei – uma fotografia de nós dois juntos no jantar de pais e filhos do Grupo de Escoteiros. Meu Deus, como eu estava me sentindo orgulhoso. Sempre terei orgulho de você, filho. Eu gostaria que pudéssemos ir pescar outra vez. Sua mãe sente muita falta sua também. Embora não nos falemos muito, eu sei que ela morre de saudades de você. Se não tivéssemos nos divorciado, as coisas talvez tivessem ficado mais estáveis. Não sei. Sempre terei as minhas recordações. Espero que exista um céu. Eu rezo e peço para que você esteja feliz. Você merece o melhor. Sinto muitíssimo não ter podido salvar você. Acordo no meio da noite chorando. Por favor, me perdoe.

Seu afetuoso pai, para sempre.

22 de junho de 2006
Querido pai,

Eu amo você muito, muito. Eu sempre o vi como um modelo. Você não precisa ser perdoado. Por favor, perdoe-me por ter partido antes do momento certo. Fiz muitas coisas erradas. Eu me achava o máximo, mas agora sei que estava me enganando. Eu culpo a mim, e não a você. Eu achava que as coisas melhorariam se eu acabasse com tudo. Descobri, no entanto, que nada acaba do jeito que imaginamos. Aqui, eu preciso enfrentar meus problemas exatamente como na Terra.

Logo que cheguei, fui recebido por um grupo de pessoas. A função delas é ajudar os recém-chegados a compreender sua nova vida. As que me receberam são especialistas em suicídio. Muitos de nós achávamos que haveria apenas escuridão. Eu estava com raiva de mim mesmo e triste por ter destruído a minha vida. Aquelas pessoas realmente me ajudaram a atravessar aqueles momentos. Há muitas pessoas com problemas emocionais como eu. Nós vamos a reuniões, falamos sobre nossos problemas e sobre como lidar com eles. Você se sentirá aliviado ao saber que o meu problema não começou com você, mas em muitas vidas passadas. Carreguei a memória comigo e tive a chance de superar minha dependência, mas caí em um lugar escuro na minha mente. Estou trabalhando nesse problema para não ter de repetir.

Vivo em um dormitório com outros suicidas, e nos damos bem. Não há brigas nem divergências, parecemos estar na mesma frequência. Além disso, sabemos o que cada um está pensando e sentindo, porque aqui não existem segredos. Estou frequentando uma universidade e estudando muito. É realmente impressionante, porque basta eu pensar em alguma coisa para ela aparecer. Eu gostaria que tivesse sido tão fácil assim na Terra. Ir à escola e estudar é muito importante. Parece que todo mundo que está no meu grupo frequenta a escola. A escola daqui é diferente, porque nela estudamos sobre o amor, a solidariedade, a ajudar ao próximo. O objetivo é fazer que essas qualidades façam parte da nossa alma. É muito interessante. Os prédios das escolas são clássicos e limpos. Também podemos ter aulas ao ar livre em um dos lindos jardins. Tudo pertence a todo mundo, não existem donos exclusivos. Isso não seria ótimo na Terra? Ninguém precisaria mais sentir medo ou se preocupar. Um dia quero voltar para a Terra e ajudar as pessoas pobres.

Por favor, diga à mamãe que eu a amo, que vou ajudá-la a encontrar o abajur que ela está procurando. Ela o ama, papai. Acho que a minha morte foi tão traumatizante que ela descarregou em você. Não deixe de amá-la. Descobri que o amor é a única coisa que importa. Criei uma fotografia de nós dois pescando no lago e olho para ela o tempo todo. Eu amo você, papai. Sempre estarei aqui para você.

Eu amo você,
Stu

10 de março de 2009
Minha querida Kari,

Eu a amo muito. Embora nunca tenhamos nos encontrado aqui na Terra, você está sempre nos meus pensamentos. Eu queria muito ter você, mas não foi possível. Eu estava muito doente, e você era pequena e fraca demais para viver. Eu me sinto culpada por não ter tido forças para ajudá-la a nascer. Vivo me sentindo culpada e às vezes fico muito deprimida. Gostaria de saber em que ponto do céu você está, gostaria de saber se você pensa em mim. Suas irmãs e seu irmão também querem saber para onde você foi. Eu digo a eles que Deus tinha planos melhores para você, que estavam precisando de você para ajudar os anjos a acender as estrelas à noite. Eu gostaria muito que isso fosse verdade. Deve haver uma razão para você ter ido embora. Eu nunca a esquecerei, eu a guardo no meu coração. Faça-me saber se você está comigo e tomando conta de nós.

Todo o meu amor,
Sua mamãe

17 de março de 2009
Querida mamãe,

Eu também amo muito todos vocês. Estou ao seu lado sempre que você pensa em mim. Moro com todos os bebês, e os anjos tomam conta de nós. Os anjos sempre tomam conta dos bebês que voltam para o céu. Quando você me encontrar deste lado, eu estarei crescida. Já aprendi a andar. Não há necessidade de falar, porque precisamos apenas pensar para transmitir o que queremos. Não fique triste. Dói ver você sentir dor. Você não teve culpa. Eu sabia que não iria nascer. Eu só queria sentir como era estar de volta em um corpo, e não gostei. Preciso aprender a não sentir tanto medo. O meu anjo disse que eu posso ajudar muito mais você aqui onde estou. Quando você olha para as estrelas e me diz boa noite, eu também a olho. Posso sentir o amor que você sente por mim. Estarei sempre por perto, porque prometi a você que ficaria.

Eu a amo muito.
Kari

4 de julho de 2005
Querido Bryan,

Estou sentada na sala de estar olhando para a bandeira que eles me deram no seu velório. Mal posso compreender que você não irá mais entrar pela porta dos fundos e vir me abraçar. Sinto muito a sua falta e fico muito perdida sem você. Meu coração foi arrancado do peito. As pessoas ainda me telefonam para dar pêsames e enviam cartões bonitos e fotografias suas. Coloquei muitas das fotos em cima da mesa, ao lado de uma vela. Espero que você consiga vê-las. Seu pai passa a maior parte do tempo na garagem, e eu tenho que levar o jantar dele até lá. Ele está tão triste que não consegue falar, nem mesmo comigo. Não sei como ajudá-lo, porque também estou sofrendo muito. A sua irmã tem vindo aqui para nos ajudar.

Eu sei que você não acreditava muito em religião, nem em vida após a morte, mas espero que esteja em um lugar bonito. Rezo para que isso seja verdade. A sua vida foi tão curta: você tinha apenas 20 anos quando nos deixou. Eu me lembro muito bem do dia em que você nasceu. Corremos para o hospital porque você estava vindo com muita rapidez. Se não tivéssemos chegado ao hospital a tempo, você talvez tivesse nascido no banco de trás do carro. Acho que estava com pressa de chegar a este mundo. Você sempre foi voluntarioso e determinado, sempre pronto para enfrentar qualquer coisa. Acho que foi por isso que entrou para o Corpo de Fuzileiros Navais. Você ensinou tanto a seu pai quanto a mim no seu curto período de vida, e espero que tenhamos feito o mesmo com você. Você nos viu no cemitério ontem? Eles mantêm o lugar tão bem arrumado. Por favor, deixe-me saber o que você está fazendo e me dê um sinal quando estiver por perto. Eu quero saber se você está bem. Não acredito que esteja morto, porque o sinto muito vivo.

Eu o amarei para sempre,
Sua mãe

11 de julho de 2005
Querida mamãe,

Estou sempre com você, por isso não se sinta sozinha. Eu a abraço quando você acorda e fico sentado ao seu lado enquanto você toma o café da manhã. Às vezes, você olha diretamente para mim, como se soubesse que estou ali. Sou eu mesmo! Você se lembra de uma vez em que achou que estava sentindo o cheiro da minha loção pós-barba? Era eu. Tentei enviar alguma coisa que você associasse a mim. Tentarei fazer com que a conexão fique mais forte na próxima vez. Esse é o sinal de que estou ao seu lado.

Não sei como eu morri, porque tudo aconteceu tão de repente. Levei algum tempo para compreender o que tinha acontecido. Meu corpo estava todo despedaçado, mas eu ainda estava lá. Meu espírito ainda estava lá. Eu podia ver os soldados da minha unidade espalhados por todos os lugares. Foi naquele momento que eu soube que tinha morrido, mas não sentia que as coisas tinham acabado. Na realidade, sentia apenas que estava começando algo novo. A próxima coisa que vi foi um grupo de fuzileiros navais vindo em direção a mim. Fiquei confuso, porque não sabia quem eram aqueles caras. Um coronel me disse que eu tinha acabado a minha tarefa no corpo físico, que tinha chegado a hora de me apresentar no lado espiritual da vida. Disse que eu tinha um trabalho a realizar, que precisava ajudar outros soldados do meu batalhão a fazer a travessia. Comecei então a percorrer aquela área para encontrar soldados que tinham morrido. Assim como eu, eles estavam traumatizados. Foi naquele momento que percebi que não estava sozinho, que havia outros me ajudando a fazer a minha tarefa, e que eles não eram soldados, mas os civis que tínhamos acabado de matar. No início, aquilo me pareceu muito estranho, mas eles não eram diferentes de mim. Na verdade, eram uma parte de mim. Estávamos todos tristes, porque nossas vidas tinham acabado daquela maneira. Juntos, trabalhamos por um bom tempo ajudando os recém-chegados a compreender o que tinha acontecido. Alguns conseguiam lidar bem com aquilo, mas outros precisavam de mais ajuda. Você se orgulharia de mim. Sim, eu agora acredito na vida após a morte. Eu sou a prova.

Tenho andado bastante ocupado desde que cheguei aqui, mas felizmente posso fazer o que quero. Estou muito interessado em estudar história e encontrei várias almas de vidas passadas com quem pude discutir os motivos para a ocorrência de guerras e para a necessidade de dominar outros povos. Tenho visitado regularmente os setores dos espíritos menos esclarecidos. É como andar em uma área perigosa da cidade, porque lá existem muitas almas que ainda sentem ódio de outras e querem matá-las. Essas pobres almas estão verdadeiramente perdidas. Elas não acreditam nelas mesmas. Poderíamos até dizer que estão condenadas à escuridão. Eu me sinto atraído para lá, para aconselhar essas almas e ajudá-las a perceber que podem melhorar. Também sou responsável por um grupo de almas que morreram por consumirem drogas. É impressionante – elas ainda acham que estão sob o efeito das drogas, isto é, até eu dizer para elas o que aconteceu. Muitos espíritos apoiam os meus esforços, inclusive o tio Bob. Nós visitamos governos da Terra para tentar convencer as autoridades governamentais a usarem meios pacíficos para conseguir o que desejam. Eu agora sei que as guerras e o assassinato de pessoas não são maneiras evoluídas de pensar. Levei algum tempo para me perdoar por ter matado outras pessoas, porque vi como estamos todos conectados.

Obrigado por todas as fotos. Tentarei me mostrar em uma delas na próxima vez. Procure as luzes.

Eu amo você,
Bryan

P. S.: Diga ao Mike que eu adorei a motocicleta nova dele.

9 de março de 2010
Querida Angie (diminutivo de anjo)

Já se completaram dois anos e eu não sei se você está viva ou morta. Desde que você desapareceu não consigo dormir. Até quando adormeço, acordo duas horas depois me perguntando onde é que você está, se ainda está viva. Nem sei direito por que estou escrevendo esta carta, mas não consigo dormir. Estou preocupada com você. Se conseguisse tirar da mente todos os pensamentos perturbadores, talvez me sentisse um pouco melhor, mas não acho que seja possível. Eu me lembro daquele dia de novembro como se fosse ontem. Era uma manhã como todas as outras, mas eu podia sentir que havia algo errado. Eu gostaria de ter dado mais importância àquela sensação, mesmo sem saber do que se tratava. Eu simplesmente sentia que havia algo errado. Lembro que mandei você levar seu suéter para a escola, porque tudo indicava que ia nevar. Quando você não voltou para casa aquela noite, eu soube que nunca mais a veria. Querida, eu sinto muitíssimo por não ter podido evitar essa situação horrível. Rezo todas as noites pedindo para ver você outra vez, mas no meu coração sei que isso não acontecerá. Recebemos notícias dos detetives – eles acham que você foi sequestrada e levada para o Canadá. Eles acham que você está morta. Eu não quero aceitar isso, embora eles tenham me mostrado aquele suéter que você levou. Sinto muitíssimo. Se você estiver no céu, rezo para que o Senhor a tenha colocado em seus braços e levado para um lugar bonito onde você não sinta dor. Manterei uma vela acesa na janela até ver você outra vez.

Eu a amarei sempre,
Sua mãe

16 de março de 2010
Querida mamãe,

Sim, o seu coração está certo. Eu deixei o chão frio e duro da Terra e encontrei a minha glória no céu. Não estou mais caminhando no meu corpo físico porque o perdi há muito tempo em um rio que passa ao norte da nossa casa. Nem sei se o acharão um dia, mas isso não tem importância. Mãe, eu estou feliz. Sinto muitas saudades de você e do papai e quero que saiba que você não teve culpa. Eu fui tola ao confiar em um desconhecido. Eu não me lembro do que aconteceu. A minha última memória da Terra é de estar deitada em um celeiro e de haver água atrás de mim. Eu sabia que não ficaria viva por muito tempo, porque estava fraca. Minha cabeça doía muito por causa do buraco nela. Adormeci e acordei em um campo de margaridas. Tia Ethel estava sentada ao meu lado. Tudo era luz, mas a luz não vinha do sol. Era um tipo diferente de brilho. Depois de saber que tinha deixado a minha casa terrestre, perguntei à tia Ethel se você ficaria sabendo que eu tinha morrido. Foi então que o vovô Peter se aproximou e disse que, um dia, eu escreveria uma carta para você e lhe diria onde estou. Bem, aqui está a carta.

Não sei há quanto tempo estou aqui, porque não existe tempo neste lugar, mas tenho feito muitas coisas. Tenho vários guias, acho que você os chamaria de professores, e eles dizem que, por ser uma alma evoluída, eu preciso ajudar os outros. Para isso, meus guias me levaram a vários lugares: de pequenos e pobres vilarejos a enormes propriedades. Conheci pessoas bonitas, felizes e charmosas, e algumas pessoas más.

Um dos primeiros lugares que fui conhecer com o meu guia era um lugar pouco iluminado. Estava cheio de espíritos que tinham cometido crimes na Terra. Meu guia e eu passamos algum tempo com esses tipos criminosos e os deixamos contar suas histórias. O homem que me sequestrou e matou estava lá. Meu guia pediu que eu o perdoasse por aquilo que fizera comigo. No início, não consegui. Eu não conseguia sentir qualquer amor no campo de energia dele, mas quando ouvi seus pensamentos compreendi o motivo de ele ter feito o que fez. Ele era um doente mental. Senti muita pena daquele homem.

Todas as pessoas que estão nesse local escuro têm problemas – alguns foram causados por seus pais, outros, pela sociedade. Todos precisam de ajuda, e é aí que eu entro: procuro descobrir o motivo de eles não se amarem e os incentivo a se verem sob uma nova luz. Meu guia me disse que estou fazendo um bom trabalho ao compreender as necessidades deles. Outros voluntários me acompanham e, de certa maneira, sou a supervisora deles. É muito gratificante ajudar essas pobres almas. A parte triste é que muitas delas não entendem a razão de terem feito o que fizeram e sofrem porque nunca alguém lhes disse que as amava. Eu tento deixar claro para elas que, além daquele lar escuro onde estão, há um mundo bonito à espera delas.

Isto é tudo o que posso dizer agora. Preciso ir. Quero que você pare de se preocupar comigo porque eu não estou na Terra, mas estou viva, segura e feliz. Esta noite, quando você for dormir, finalmente estará em paz. Amanhã, você se sentirá muito melhor. Agora eu estou mais perto de você do que antes.

Eu a amo, mamãe,
Ang (seu pequeno anjo)

Um último pensamento

Recentemente, fiz uma sessão para uma mãe, Karen, e lhe transmiti muitas mensagens de sua filha. Depois da morte da filha, Karen recebeu um poema dela, da mesma maneira que algumas pessoas recebem cartas. Esse poema me inspirou a escrever este capítulo. Karen gentilmente concordou em compartilhar o poema da filha com todos nós.

CARTA DO CÉU
Quando passei daqui para lá, eu sabia que o seu coração iria se quebrar.
É aqui e não aí que eu resido; nas montanhas, nos campos e nos lagos.

Na chegada de cada nova alvorada e em cada pôr do sol,
Nos pássaros, nas árvores e no céu azul, você ficará sabendo que ainda estou por perto.
Eu parti seu coração, não há como desfazer isso;
Sofra agora, mas não permaneça muito tempo na escuridão.
Se eu estivesse aí e você estivesse aqui, você claramente veria
Que você está bem aí e eu estou bem aqui, foi onde nós escolhemos estar.
Portanto, dance, cante e ria alto, como sempre fizemos;
Eu sei que é difícil, mas saiba que eu estou bem aqui ao seu lado.
E quando sentir vontade de chorar, tente sorrir através das lágrimas;
Espero que você lembre que eu a amarei por mil anos.
E, quando estiver se sentindo sozinha e não souber o que fazer,
Feche os olhos e leia esta carta que eu lhe escrevi.

posfácio

Um passo no tempo

Recentemente eu estava em um aeroporto esperando a hora de entrar no avião e, em vez de digitar alguma coisa no computador ou ler uma revista, como os demais passageiros, sentei-me em uma cadeira desconfortável e fiquei observando a diversificada multidão que passava na minha frente. As pessoas corriam em direção aos portões de embarque, falavam em seus telefones celulares e entravam em filas para comprar comida. Enquanto observava aquele mar de gente, eu me perguntei se haveria outras pessoas que, tal como eu, estavam observando os outros e tentando imaginar a situação de vida de cada um. Em determinado momento, passou por mim um grupo de meninos com idades variando entre sete e dez anos, seguidos por seus pais. Todos vestiam uniformes de beisebol, o que me fez pressupor que estavam indo participar de um jogo. Ao cruzar o olhar com um dos pais, perguntei:

– Jogo de campeonato?

– Sim – ele respondeu, orgulhosamente.

Desejei-lhe boa sorte, ele sorriu e foi em frente.

Enquanto observava os pequenos jogadores se encaminharem para o portão de embarque, veio à minha memória um episódio que ocorrera muito tempo antes. Eu tinha oito anos e ouvia a professora de geografia falar sobre os vários países da América do Sul.

Estava sentado no fundo da sala porque o meu sobrenome começa com um V. Embora pareça injusto, e até mesmo discriminatório, ficar sempre no fundo da sala por causa do sobrenome, aquilo também tinha seus benefícios. Eu podia fechar os olhos sem que a professora percebesse. Naquele dia, comecei a pensar no jogo de que eu participara na noite anterior e a me criticar.

O treinador sempre me colocava no campo externo, porque eu não era muito bom na defesa. Eu literalmente congelava quando imaginava que todos estavam me olhando e contando comigo para pegar a bola. E ficava morto de vergonha quando, inevitavelmente, não conseguia. Nas raras ocasiões em que de fato peguei a bola, eu a deixei cair da luva por puro nervosismo. Enquanto revivia na mente esse horror e pensava em como tinha desapontado todas aquelas pessoas, de repente percebi o espírito de um menininho louro mais ou menos da minha idade entrando pela janela da sala de aula e caminhando na minha direção. Ele vestia um uniforme listrado, usava um boné vermelho e estava segurando uma luva de beisebol.

O menino se aproximou de mim e sussurrou: *Eu sou o Joey.*

Quando ele contou *Eu morri no quinto tempo,* pude ver uma bola atingindo o Joey bem entre os olhos. *Meus professores me mandaram vir até aqui para falar com você. Você não se dá conta de como é bom no jogo.* Continuou dizendo que, em vez de realmente me entregar ao jogo, eu me preocupava mais com o que os outros achavam de mim. Enquanto o espírito do menino permaneceu ao meu lado, senti que o tempo tinha parado e que uma linha telepática de comunicação se abrira entre nós.

Eu me lembro de ter perguntado: "Quem é você realmente? Por que está vestido assim?"

Ele contou que tinha voltado para a sua casa no céu havia um ano. *Na última vez em que estive na Terra, joguei beisebol no time infantil de Springfield.* Essa era a razão de ele ter decidido voltar e se mostrar para mim em seu uniforme. Joey falou sobre o lugar onde morava no mundo celeste.

Você pode me visitar em sonhos, ele insistiu. *O lugar onde eu moro é mais real do que este mundo.* Disse que a Terra era como um "espelho" da nossa verdadeira casa. Apontou então para cima e disse que havia tantas coisas para fazer no céu que ninguém na Terra podia sequer imaginar como era especial. *Eu gostaria que os meus pais pudessem ver que estou vivo.*

Eu não parava de pensar: "Mas você não está vivo, você está morto, e só eu consigo ver você." Joey continuou a falar sobre como estava curtindo sua vida no céu e como seus pais ficariam felizes por ele. Se eles soubessem, não ficariam chorando o tempo todo.

– O que é que você faz lá? – perguntei.

– *Eu estou crescendo, crescendo e crescendo!* – ele respondeu.

Eu queria me afastar do Joey, porque ele estava me enviando muitos pensamentos ao mesmo tempo. Minha cabeça estava ficando atordoada enquanto ele fornecia tantas informações. Ele me disse que uma alma podia vivenciar tudo do passado e também do futuro.

A maioria das pessoas não consegue ver quem elas realmente são na Terra, mas, no céu, elas conseguem. Naquele momento, pedi que ele fosse embora, mas Joey insistiu em me contar mais.

Eu era exatamente como você. Tinha medo de desapontar as pessoas. Após deixar a Terra, compreendi que a única razão de querer participar do time infantil de beisebol era fazer com que meu pai me amasse mais. Só depois de sua morte, e de presenciar o sofrimento de seu pai e de sua mãe, Joey compreendeu que seu pai realmente o amava. Ele nunca soubera disso porque seu pai nunca lhe tinha dito.

Minha alma precisava nascer para os meus pais porque eles me proporcionariam as possibilidades de aprender sobre uma das janelas da minha alma, ele afirmou. Não entendi o que ele queria dizer, mas senti que a função de seus pais tinha sido proporcionar oportunidades que permitissem ao Joey aprender sobre si mesmo. A partir do que ele me contou, senti que ele e seus pais já tinham estado juntos em vidas anteriores.

Então eu perguntei bem diretamente: "Você é um anjo?" Em segundos, Joey "colocou" uma percepção dele mesmo na minha mente.

Nós somos almas que vivemos em muitos lugares diferentes; como as flores, nós crescemos em todos os lugares. Ele tentou me explicar que algumas almas vivem e crescem no céu, que é composto de muitos lugares, e que a Terra é um lugar para onde vamos a fim de compreender que somos almas.

Nós usamos corpos e cobrimos a parte da nossa alma para que tenhamos de lembrar quem somos. Procurei entender o motivo da visita dele. Será que ele estava tentando me dizer que não me preocupasse com o que os outros pensavam de mim, ou me fazer lembrar que eu era uma alma?

A seguir, Joey disse com bastante clareza: *Você não deveria jamais se esquecer de que é uma alma caminhando na Terra, portanto, não se preocupe com o que outros pensam, porque eles são almas também. Você não precisa sentir medo quando está perto de outras almas. Você pode fazer brilhar a sua luz para que todos a vejam.*

Ao relembrar esse episódio entendi melhor o que Joey me transmitia. "Fazer brilhar a sua luz" devia ser compartilhar amor com outras pessoas.

"Você continua tendo de ir à escola no céu?", perguntei.

Ele riu e me disse através de pensamentos: *Sim, no céu existem aulas onde aprendemos a conhecer os pedaços do quebra-cabeça que é a nossa alma.* Joey continuou tentando me fazer perceber que aquele menino que eu estava vendo diante de mim era apenas um aspecto de quem ele era e que, na realidade, o menino era um somatório das muitas personalidades diferentes que a alma dele tinha vivido neste e em outros mundos. Fiquei completamente estupefato com os pensamentos que recebia, e continuei pensando: "Como é que você pode viajar pelo mundo? Você é um menininho!"

Naquele momento, a campainha da escola interrompeu meus pensamentos. Estava na hora do recreio, e eu olhei para cima enquanto todo mundo corria para fora da sala. Fui o último a sair, e a professora se aproximou de mim para me ajudar. Ela perguntou:

– Você está bem, James? O seu rosto está muito pálido, como se você tivesse visto um fantasma!

Acho que eu disse bem baixinho:

– Talvez – e saí da sala.

Vinte minutos depois, quando voltamos, procurei o Joey, mas não consegui mais vê-lo. Às duas horas a professora mandou que apoiássemos a cabeça na carteira para o intervalo da tarde. Ao fazê-lo e fechar os olhos, ouvi um rápido "pssst". Com o canto do olho, pude ver Joey. Ele estava bem perto, olhando diretamente para mim. Ele me enviou telepaticamente o pensamento de que não conseguira chegar até mim porque a minha mente estava tão ocupada e concentrada nos meus deveres escolares que os pensamentos dele se perderam na confusão. Esperou até que eu estivesse receptivo para que não fôssemos interrompidos. Insistiu que eu mantivesse os olhos fechados para manter a força da conexão.

Quero mostrar a você algo sobre o que eu disse antes. É sobre a aparência de nossa alma.

Aos oito anos de idade, eu realmente não tinha a menor ideia do que era uma alma, mas estava aberto para qualquer coisa que ele quisesse me mostrar. Naquele momento, Joey colocou na visão da minha mente um desenho que não parava de se modificar, de se transformar. No início, vi um quadrado grande com quatro quadrados dentro dele. Dentro de cada um havia um diamante conectado a cada lado do quadrado e linhas se cruzando através de cada diamante. Um único quadrado se tornou outro, e o desenho continuou a se dividir indefinidamente.

Quando estava pronto para ir embora, Joey disse: *Isto talvez não faça sentido para você agora, mas quando ficar mais velho você compreenderá que essa é a aparência da sua alma e que cada diamante é um período de vida que acrescenta feições ao seu ser.*

A seguir, na mesma rapidez com que tinha aparecido, ele sumiu. Fiquei surpreso, mas, principalmente, cético. Achei que tinha sonhado com aquilo – que estava tudo na minha cabeça. Finalmente, chegou a hora de ir embora da escola e eu corri para casa. Assim que cruzei a porta de casa, peguei papel e lápis e comecei a desenhar o que Joey tinha me mostrado. Abaixo, está exatamente o que eu vi:

Desenho: A aparência da alma

O mais interessante sobre o ato de reviver essa experiência foi o que aconteceu quando me sentei para escrever a história. Eu não via o desenho com a aparência da alma desde os meus oito anos e fiquei muito excitado com aquela visão. Então percebi que, se colocasse o esboço de um ser humano no meio daquele desenho, os sete centros de energia básicos ou chacras se alinhariam perfeitamente bem no meio do diagrama. Isso é muito surpreendente. Depois de contemplar o desenho por mais algum tempo, percebi que cada um dos fragmentos representa um elemento (vivência de um período de vida) dentro da natureza universal da alma.

O pequeno Joey é um lembrete de que somos todos seres espirituais sagrados que nunca morrem. Somos almas que crescem e mudam até compreendermos, por completo, que somos seres perfeitos e bonitos.

Referências bibliográficas

Addington, Jack e Cornelia Addington. *Your Needs Met*. Camarillo, CA: DeVorss, 1973.

Andrews, Ted. *The Healer's Manual*. Woodbury, MN: Llewellyn, 1993.

Barker, Elsa. *Letters from the Afterlife*. Hillsboro, OR: Beyond Words, 2004.

Bowman, Carol. *Return from Heaven*. Nova York: HarperCollins, 2001.

Dooley, Mike. *Infinite Possibilities*. Nova York: Atria Books/Beyond Words, 2009.

Finley, Guy. *The Secret of Letting Go*. Woodbury, MN: Llewellyn, 1998.

______. *Let Go and Live in the Now*. Berkeley, CA: Red Wheel/Weiser, 2004.

Fox, Emmet. *Power Through Constructive Thinking*. São Francisco: HarperOne, 1989.

Garfield, Laeh Maggie e Jack Grant. *Angels and Companions in Spirit*. Berkeley, CA: Celestial Arts, 1995.

Hay, Louise L. *The Power Is Within You*. Carlsbad, CA: Hay House, 1991.

Katafiasz, Karen. *Grief Therapy*. St. Meinrad, IN: Abbey Press, 1993.

Levine, Marie. *First You Die*. Silver Thread, 2004.

Moody, Raymond. *Life After Life*. Nova York: Bantam, 1976.

Morse, Melvin e Paul Perry. *Closer to the Light*. Nova York: Random House, 1990.

Newton, Michael. *Journey of Souls*. Woodbury, MN: Llewellyn, 1994.

______. *Destiny of Souls*. Woodbury, MN: Llewellyn, 2000.

______. *Memories of the Afterlife*. Woodbury, MN: Llewellyn, 2009.

Noel, Brook e Pamela D. Blair. *I Wasn't Ready to Say Goodbye*. Kirksville, MO: Champion, 2000.

Perkins, James Scudday. *Through Death to Rebirth*. Pasadena, CA: Theosophical Press. 1961.

Rhodes, Leon. *Tunnel to Eternity*. Woodbury, MN: Swedenborg Foundation, 1997.

Sanders, Catherine M. *How to Survive the Loss of a Child*. Nova York: Prima, 1992.

Schiff, Harriet Sarnoff. *The Bereaved Parent*. Nova York: Penguin, 1978.

Schwartz, Robert. *Your Soul's Plan*. Berkeley, CA: Frog Books, 2007.

Shaw, Eva. *What to Do When a Loved One Dies*. lrvine, CA: Dickens Press, 1994.

Shine, Betty. *Mind Magic*. Nova York: Bantam, 1991.

Shinn, Florence Scovel. *Your Word Is Your Wand*. Camarillo, CA: DeVorss, 1928.

Staume, David. *The Beginner's Guide for the Recently Deceased*. Woodbury, MN: Llewellyn, 2004.

Sutphen, Dick e Tara Sutphen. *Soul Agreements*. Newburyport, MA: Hampton Roads, 2005.

Tatelbaum, Judy. *The Courage to Grieve*. Nova York: Harper-Collins, 1984.

Tomlinson, Andy. *Healing the Eternal Soul*. Brooklyn, NY: O Books, 2006.

Tweddell, Margaret Flavel e Ruth Mattson Taylor. *Witness from Beyond*. Chicago: Chicago Review Press, 1980.

Van Praagh, James. *Em busca da espiritualidade*. Rio de Janeiro: Sextante, 1999.

______. *Healing Grief*. Nova York: Dutton, 2000.

Virtue, Doreen. *Healing with the Angels*. Carlsbad, CA: Hay House, 1999.

Vogel, Gretchen. *Choices in the Afterlife*. Choices Publishing, 2010.

Wambach, Helen. *Life Before Life*. Nova York: Bantam, 1981.

White Eagle. Sunrise. Liss, Reino Unido: White Eagle Publishing Trust, 1958.

______. *Beautiful Road Home*. Liss, Reino Unido: White Eagle Publishing Trust, 1992.

Zain, C. C. (Elbert Benjamine). *The Next Life*. Albuquerque, NM: The Church of Light, 1942.

Agradecimentos

Para todos aqueles seres do mundo espiritual e da Terra que ao longo destes anos vêm me ajudando a levar ao mundo minha mensagem de vida após a morte. Eu agradeço e reverencio cada um de vocês e especialmente:

Brian Preston, Boo Radley, Maizey Mae, Linda Tomchin, Ciaran e Kelly Barry, Joe Skeehan, Jacquie Ochoa-Rosellini, Heather Vogel, Kelly Dennis, Chip Me Allister, Christian Dickens, Ken Robb, Tori Mitchell, Randy Wilson, Darlene Krantz, Bob Lewis, Cyndi Schacher, Gideon Weil, Suzanne Wickham, Scottie Schwimer, Jeff Eisenberg, Ron Oyer, Ciaran Sheehan, Gabrielle O'Connor, Marie Levine, Joerdie Fisher, Dorothea Delgado, Marilyn Whall, Liz Dawn, Cammy Farone, Angie Lile, Kim Keller, Rita Curtis e Christy Lee.

Minha profunda gratidão a todos os pais que perderam seus filhos e àqueles que participaram de meus seminários, círculos espíritas e eventos. Obrigado por terem me enviado seus e-mails sinceros e suas mensagens para o meu site.

Frank e Taunya Strocchio, Ann e Arnold Singer, Martha e Ernesto Chacon, Gail e Lance Harris, Lori Kizer, Glenda Walls, Norman e Babette Minery, Kathryn Musser, Deborah Matthews, Patricia Van Vliet, Jane Shaw, Joy M. e Joyce, Karen Cardenas James e James Radford.

CONHEÇA OUTROS TÍTULOS DO AUTOR

Assuntos pendentes

JAMES VAN PRAAGH

É comum pensar que são os vivos que mais sofrem quando perdem um ente querido, mas os espíritos também podem levar para o outro lado grandes pesares, como o arrependimento por não terem aproveitado melhor suas vidas. E com a experiência adquirida após essa passagem, muitos deles desejam nos ensinar a evitar os mesmos erros e a buscar a felicidade antes que seja tarde demais.

Assuntos pendentes traz diversos relatos impressionantes de pessoas que cruzaram a barreira entre os vivos e os mortos. Por meio dessas histórias, os espíritos procuram nos mostrar a importância de resolvermos nossos problemas e aflições ainda na Terra, para não levarmos questões mal resolvidas para o outro plano.

Com base em 25 anos de comunicação com os espíritos, o médium James Van Praagh nos faz ver os fatos sob uma perspectiva que só aqueles que partiram poderiam nos fornecer, ajudando-nos assim a ter uma melhor compreensão dos acontecimentos, a entender a força de perdoar e ser perdoado e a nos desprendermos do passado e assumir a responsabilidade sobre nossas vidas.

O autor nos apresenta valiosas lições para lidar melhor com o medo, a culpa, o estresse, o arrependimento e a frustração, buscando sempre a força das emoções positivas para superar os momentos mais difíceis.

Espíritos entre nós
James Van Praagh

A maioria das pessoas sente uma mistura de medo e fascínio quando ouve histórias de espíritos. Talvez essa atração venha do fato de que muitos de nós já passamos por alguma experiência que não conseguimos explicar: ouvimos passos, tivemos a sensação de que estávamos sendo observados, vimos vultos.

Na verdade, o que motiva tanto o medo quanto o fascínio é a nossa eterna busca pela resposta de um dos grandes mistérios da existência: o que acontece depois da morte?

Com o dom de ver, ouvir e sentir a presença dos espíritos desde criança, James Van Praagh dedicou toda a sua vida a compreender o mundo invisível e a explicar às pessoas o que de fato acontece depois que deixamos o nosso corpo.

Profundamente transformador, *Espíritos entre nós* apresenta histórias reais de encontros de pessoas que já se foram com os parentes que deixaram na Terra, trazendo alento e conforto ao demonstrar que a vida e os laços de amor continuam existindo, com a mesma intensidade, mesmo depois da morte.

Com mais de 1 milhão de livros vendidos no Brasil, o autor de *Conversando com os espíritos* e coprodutor da série *Ghost Whisperer* ensina técnicas e exercícios para nos ajudar a reconhecer os sinais que os espíritos nos enviam, a tomar consciência da energia que nos cerca e a entrar em contato com o outro lado.

Com a ajuda de Van Praagh, nossas angústias são convertidas em conhecimento e inspiração, o que nos faz abrir os olhos e o coração para compreender os mistérios da vida e desvendar os segredos da morte.

Conversando com os espíritos

James Van Praagh

Com a rara habilidade de interligar o mundo físico e o espiritual, James Van Praagh proporciona imenso conforto àqueles que perderam seus entes queridos, trazendo mensagens inspiradoras e desvendando os mistérios da vida após a morte.

Em *Conversando com os espíritos*, você conhecerá histórias de pessoas que, com a ajuda do autor, conseguiram fazer contato com parentes mortos e deram novos rumos a suas vidas – como a mãe que ouviu do filho um pedido de desculpas pelo próprio suicídio e o reencontro de um homem com sua esposa falecida, no quinquagésimo aniversário de casamento.

Além de surpreendentes relatos como esses, Van Praagh conta a sua jornada em busca do autoconhecimento. Ainda na juventude, ele descobriu a capacidade de se comunicar com os mortos. Nesse livro ele revela como conseguiu aperfeiçoar seus dons para dar início à sua atividade como médium.

Com ensinamentos e depoimentos comoventes, o autor nos ajuda a lidar com a dor da perda, ensinando técnicas para desenvolver o sexto sentido, conhecer nossos espíritos-guias e identificar os sinais que vêm do outro lado.

Abra seu coração e deixe esse livro mudar para sempre a sua maneira de encarar a vida – e a morte.

CONHEÇA OS CLÁSSICOS DA EDITORA SEXTANTE

1.000 lugares para conhecer antes de morrer, de Patricia Schultz

A História – A Bíblia contada como uma só história do começo ao fim, de The Zondervan Corporation

A última grande lição, de Mitch Albom

Conversando com os espíritos e *Espíritos entre nós*, de James Van Praagh

Desvendando os segredos da linguagem corporal e *Por que os homens fazem sexo e as mulheres fazem amor?*, de Allan e Barbara Pease

Enquanto o amor não vem, de Iyanla Vanzant

Faça o que tem de ser feito, de Bob Nelson

Fora de série – Outliers, de Malcolm Gladwell

Jesus, o maior psicólogo que já existiu, de Mark W. Baker

Mantenha o seu cérebro vivo, de Laurence Katz e Manning Rubin

Mil dias em Veneza, de Marlena de Blasi

Muitas vidas, muitos mestres, de Brian Weiss

Não tenha medo de ser chefe, de Bruce Tulgan

Nunca desista de seus sonhos e *Pais brilhantes, professores fascinantes*, de Augusto Cury

O monge e o executivo, de James C. Hunter

O poder do Agora, de Eckhart Tolle

O que toda mulher inteligente deve saber, de Steven Carter e Julia Sokol

Os segredos da mente milionária, de T. Harv Ecker

Por que os homens amam as mulheres poderosas?, de Sherry Argov

Salomão, o homem mais rico que já existiu, de Steven K. Scott

Transformando suor em ouro, de Bernardinho

INFORMAÇÕES SOBRE OS PRÓXIMOS LANÇAMENTOS

Para saber mais sobre os títulos e autores
da EDITORA SEXTANTE,
visite o site www.sextante.com.br
ou siga @sextante no Twitter.
Além de informações sobre os próximos lançamentos,
você terá acesso a conteúdos exclusivos e poderá
participar de promoções e sorteios.

Se quiser receber informações por e-mail,
basta cadastrar-se diretamente no nosso site.

Para enviar seus comentários sobre este livro,
escreva para atendimento@esextante.com.br
ou mande uma mensagem para @sextante no Twitter.

EDITORA SEXTANTE
Rua Voluntários da Pátria, 45 / 1.404 – Botafogo
Rio de Janeiro – RJ – 22270-000 – Brasil
Telefone: (21) 2538-4100 – Fax: (21) 2286-9244
E-mail: atendimento@esextante.com.br